CW00408822

L'affaire Catherine Kistler
Suivie de l'exécution
de Ferdinand-Jean Altmeyer

Henri Rapp

L'affaire Catherine Kistler
Suivie de l'exécution
de Ferdinand-Jean Altmeyer
Roman

LE LYS BLEU
ÉDITIONS

© Lys Bleu Éditions – Henri Rapp

ISBN : 979-10-377-7772-0

Le code de la propriété intellectuelle n'autorisant aux termes des paragraphes 2 et 3 de l'article L.122-5, d'une part, que les copies ou reproductions strictement réservées à l'usage privé du copiste et non destinées à une utilisation collective et, d'autre part, sous réserve du nom de l'auteur et de la source, que les analyses et les courtes citations justifiées par le caractère critique, polémique, pédagogique, scientifique ou d'information, toute représentation ou reproduction intégrale ou partielle, faite sans le consentement de l'auteur ou de ses ayants droit ou ayants cause, est illicite (article L.122-4). Cette représentation ou reproduction, par quelque procédé que ce soit, constituerait donc une contrefaçon sanctionnée par les articles L.335-2 et suivants du Code de la propriété intellectuelle.

Note de l'auteur

L'affaire évoquée dans ce livre est réelle, elle est tirée d'un fait divers qui a nourri les chroniques criminelles au milieu du XIXe siècle et a bouleversé particulièrement la population d'Ensisheim, Haut-Rhin.

Cependant, elle est romancée, mais avec des personnes qui ont véritablement existé et vécu à cette période. Les coupures de presse de l'époque et la Petite Gazette des Tribunaux criminels et correctionnels d'Alsace, publiées en 1860, m'ont permis d'alimenter le contenu de cet ouvrage.

À la fin du livre, vous trouverez quelques faits divers qui n'ont que le mérite à être connus.

Mes remerciements vont à Michèle Bidar qui a accepté de faire la relecture, aux Archives départementales de Colmar et au personnel de l'accueil de la mairie d'Ensisheim qui ont bien voulu apporter leur contribution.

Je vous souhaite une bonne lecture

Chapitre 1

Ensisheim, juillet 1856

L'orage de la veille a fait du bien. Dans les prés, l'herbe a reverdi et s'est redressée en déroulant un tapis moelleux et humide. La pluie est attendue, car, depuis les précipitations diluviennes du mois de mai, les sols n'ont plus été arrosés. Certes, à cette période de l'année, le plus gros du blé et du seigle a déjà été récolté. Peut-être demain, des cumulonimbus apporteront de nouvelles averses salvatrices, utiles pour alimenter en eau les moulins localisés tout le long de la rivière du Quatelbach. Le plus important est celui d'Adolsheim. Le propriétaire, Jean-Baptiste Rudolf, trente-deux ans, dirige son activité avec bon sens et avec pragmatisme. Il emploie trois garçons meuniers, quatre domestiques et trois servantes. Son domaine de cent soixante hectares, il l'a constitué petit à petit grâce au fruit de son travail. Il ne possède aucune instruction première, il est doté d'une détermination sans failles et d'un grand amour de l'ordre. Deux incendies ont détruit le corps de ferme et le moulin. Il les a reconstruits avec beaucoup de courage et d'abnégation. Les céréales sont transformées en farine, les noix en huile, et le chanvre est teillé. D'autres moulins et huileries profitent du Quatelbach pour faire tourner leurs roues à aubes. Les entreprises sous les noms d'Hubert Gersbach et Fils, F. Mann-M. Krafft, ou encore Xavier Mann prospèrent et leurs propriétaires s'embourgeoisent, devenant des personnalités très influentes, et fort respectables. Certains sont même entrés au conseil municipal comme Hubert Gersbach, Jean-Baptiste Rudolf et Martin Krafft.

Le bourg d'Ensisheim qui compte 2600 habitants se singularise, excepté sa météorite tombée en 1492, par la présence de deux gros bâtiments qui en font sa fierté et qui constituent, d'une part, l'ancien palais de la Régence, un édifice du XVIe siècle, occupé à l'étage par les services de la mairie et, d'autre part, la prison, un établissement érigé au XVIIe siècle, qui déroule son imposante façade sur une large partie de la Grand-rue. La population vit en grande partie de l'agriculture. Le territoire du village s'étend jusqu'à la forêt de la Hardt. Chacun essaie de trouver un bout de terre pour cultiver ses propres légumes ou l'herbe fourragère destinée au bétail et aux animaux de la basse-cour. Pour conclure les transactions, aussi petites qu'elles soient, les liquidités ne sont pas toujours disponibles. Pour acheter une vache ou un lopin de terre, le paysan doit faire un emprunt auprès d'un notaire, d'un usurier ou d'une famille bourgeoise. Ce n'est que dans les années 1880 que les caisses mutuelles de crédit sont créées. Les produits issus des forêts jouent un rôle important dans l'économie locale. Le feuillage sert de litière aux animaux, les glands de nourriture aux porcs, le bois à l'alimentation du poêle et du fourneau. La réglementation stricte des cueillettes, de la chasse, et de l'élagage, incite à la violation de la loi. Les contrevenants risquent de grosses amendes ou même la prison. Le bois d'affouage est distribué aux habitants moyennant le versement d'une taxe communale. Mais l'établissement de la liste des affouagers provoque des querelles et des animosités entre les habitants du village. La vie du paysan qui possède peu de terre sait, hormis l'aspect émotionnel, qu'il n'a pas grand-chose à perdre et à quitter le pays. Il peut espérer avoir tout à gagner en se lançant dans l'aventure de l'immigration. C'est ainsi que de nombreux Ensisheimois ont débarqué un jour, sur les côtes américaines, dans l'espoir de trouver l'eldorado.

Il existe aussi une forte communauté de tisserands. On recense trente-deux tisserands et fileuses qui travaillent pour la filature, Laederich et Goetz. La ville dénombre également quinze cafetiers et aubergistes, onze dans la Grand-rue, deux, place de l'Église et deux, route de Réguisheim. Antoine Schmitt et Auguste Munsch, brasseurs, fabriquent la bière chacun de leur côté dans la Grand-rue. La place de l'Église connaît une activité et une animation intenses en particulier avec la présence d'une savonnerie dirigée par Ferdinand Mann qui emploie douze ouvriers.

Comme chaque matin, Catherine Kistler, traverse la place de l'Église, tirant derrière elle une petite charrette en bois dont les montants sont rehaussés de vannerie. Elle y dépose soigneusement, des bols, des assiettes, des jattes et des vases en terre cuite, fruits du travail de son mari, le potier de terre, Fidèle Kistler. Ces céramiques sont très réputées et estimées dans la région. Quelques années plus tard, en 1867, la poterie d'Ensisheim figurera d'ailleurs dans le « Guide de l'amateur de faïences, poterie en terre » d'Auguste Demmin. Le couple est originaire de Rouffach où il s'est uni en septembre 1814. Plus tard, il s'est établi à Ensisheim, dans le Faubourg Ouest, à proximité de la rivière de l'Ill. Cette ouverture directe sur le cours d'eau permet à Fidèle Kistler de s'approvisionner en eau et en terre glaise pour exercer son métier. Sa femme, Catherine, vend les produits réalisés par son mari.

Catherine Kistler, née Voelcklen, est une petite personne âgée de soixante-quatorze ans, courbée et tortueuse comme un cep de vigne, marquée par de longues années de labeur dans le froid ou sous un soleil accablant. Sa figure hâlée est ravinée par le temps. Sa large bouche dans laquelle il ne reste plus que quelques rares dents jaunies ne rassure pas les gens qui la croisent au détour d'une rue. Une fanchon à carreaux retient, tant bien que mal, ses cheveux raides, blancs et gras. Ses yeux d'un bleu vif et perçant accentuent encore son visage émacié et inquiétant. En plus de ce physique repoussant, Catherine n'a pas bonne réputation. La rumeur lui prête l'exercice d'activités occultes voire de sorcelleries.

Tirant péniblement sa vieille charrette grinçante, elle arrive sur la place de l'Église où elle constate, comme chaque jour, l'avancement des travaux de nettoyage des décombres et gravats qui y sont étalés. Ce sont les restes inertes de l'effondrement du clocher deux ans auparavant. Les opérations de reconstruction n'ont pas encore commencé. Le docteur Jean-Baptiste Dangel, maire de 54 ans, nommé par l'Empereur Napoléon III, tout comme une trentaine d'autres magistrats municipaux du Haut-Rhin, se démène pour trouver l'argent nécessaire à la réédification de l'ouvrage. Il doit recourir à un emprunt pour financer les travaux. Apollinaire Freyburger, le curé de la paroisse et son jeune vicaire Antoine Brunner s'emploient pour récolter des fonds auprès de leurs fidèles.

Mais ce matin, la Catherine n'est pas venue sur la place de l'église simplement pour vendre et livrer les poteries de son mari ou pour tailler la bavette avec Xavier Moyses, le maréchal-ferrant à qui elle confie de temps en temps son vieux bourrin. Elle traîne péniblement sa carriole sous les arcades de la mairie et hèle d'un ton sec et cassant Georges Ferber, le garde champêtre, de faction devant la porte du cachot qui sert essentiellement de chambre de dégrisement aux ivrognes ramassés dans les rues, la nuit tombée.

— Je m'en vais chez le maire. Garde-moi ma charrette en attendant, j'en ai pour quelques minutes. Au fait, Ignace, ton collègue, n'est pas dans les parages ?

— Non, répond Georges Ferber. Il surveille le ban communal. Dis-moi, tu as toujours peur de lui ? Tu le crains donc tellement ?

— Oui et c'est pour ça que je veux voir le maire. J'ai bien des choses à lui raconter sur Ignace Lammert.

— Bon, monte, c'est la salle sur ta droite. Mais ne t'attarde pas trop, j'ai ma tournée journalière à faire sur le terrain.

— Ne t'inquiète pas ! J'y vais et si mes vieilles jambes arrivent encore à gravir ce satané escalier en colimaçon, je n'en aurai pas pour longtemps.

Elle saisit son gros bâton qu'elle avait posé sur les poteries. Ce bâton lui sert d'habitude pour chasser les jeunes gens du village qui lui lancent des cailloux, histoire de se moquer d'elle en la traitant de sorcière et pour les chiens qui ont le malheur d'aboyer en la défiant toutes dents dehors. Aujourd'hui, elle l'utilise comme canne. Elle se dirige vers la grande porte à deux battants, au-dessus de laquelle trône le buste de Jacob Baldé, un jésuite et poète allemand, né à Ensisheim en 1604. Elle doit monter à l'étage par ce large escalier en pierre qui s'élève en colimaçon jusqu'à la porte palière qui donne accès à la salle des pas perdus. Elle s'en acquitte non sans mal. Essoufflée, et encore toute tremblante par l'effort qu'elle a accompli, elle s'assied sur le banc en bois réservé aux administrés qui attendent d'être reçus par un fonctionnaire municipal. Elle profite de cet instant de répit pour reprendre petit à petit sa respiration et calmer son cœur qui, à un moment, s'est sérieusement emballé.

Elle observe l'effervescence qui règne dans cette pièce. Les agents de la commune préparent, dès à présent, la fête nationale de Saint-Napoléon pour le quinze août. Le matériel destiné aux festivités est vérifié, restauré et nettoyé. Les lourdes caisses en bois entreposées au grenier encombrent maintenant la grande salle du Conseil.

Après quelques minutes d'attente, qui lui paraissent une éternité, elle voit enfin Jean-Baptiste Deninger, le secrétaire de mairie âgé de 23 ans, venir à sa rencontre. C'est le fils de Louis Deninger, sergent de ville et appariteur. Ce jeune homme longiligne, jovial et de nature très abordable, montre un visage oblong, clair et barré d'une fine moustache blonde bien soignée. Il s'approche de Catherine et lui dit :

— Alors Catherine, encore des ennuis ? Et avec qui maintenant ?

— Comment encore ? Si je viens aujourd'hui c'est pour me plaindre auprès du maire de l'attitude d'Ignace.

— Ignace ? Qui ?

— Mais d'Ignace Lammert, l'ignoble garde champêtre de la ville.

— Oh là ! Tu y vas un peu fort, je crois… Bon, je vais voir s'il peut te recevoir. Mais je te préviens tout de suite, il n'a pas trop de temps à te consacrer, car il doit se rendre d'urgence en consultation à l'hôpital.

— Oh, ne t'inquiète pas, ce ne sera pas long !

Sur ce, il tourne les talons et se dirige prestement vers le bureau du maire.

Catherine, nerveuse, tapote de ses doigts crochus le bout de son vieux bâton. Son corps, décharné, tremble de la tête aux pieds comme une feuille sous l'effet du vent. La sueur qui perle sur son front ridé et qu'elle essaie d'éponger avec son mouchoir témoigne de l'angoisse qu'elle éprouve à ce moment-là.

Quelques instants après, le secrétaire passe la tête par la porte du bureau du maire et d'un signe de la main, convie Catherine à entrer, le maire est disposé à la recevoir.

— Ah, bonjour Madame Kistler ! Je vous sens bien nerveuse ce matin, s'exclame Jean-Baptiste Dangel en voyant la Catherine pénétrer dans son bureau.

Il l'invite à s'asseoir sur l'une des deux chaises face à son immense bureau.

Catherine, d'une voix dans laquelle se mêlent émotion et irritabilité, salue le maire et s'installe déterminée à vider son cœur.

— Ben oui, Monsieur le Maire, j'ai de gros soucis avec Ignace, le garde champêtre. Chaque fois que j'ai le malheur de le rencontrer dans les prés et que je n'ai rien fait de mal, il m'aborde pour me hurler dessus sans raison. Il dit que je n'ai rien à faire ici, alors qu'il m'arrive juste de couper quelques herbes folles pour nourrir mon brave canasson. Il ne peut pas me supporter. D'ailleurs, je ne vous le cache pas, c'est réciproque. Tenez, il y a encore quelques semaines, au printemps, il m'avait agressée physiquement avec beaucoup de rudesse, sans aucun ménagement.

— Ah bon ? interroge le maire en levant les yeux vers le vieux le lustre en bois suspendu au milieu du plafond. Agressée physiquement ? Mais comment a-t-il pu ?

— Le mois dernier alors que je ramassais l'herbe pour mon cheval et mes quelques lapins, il a surgi de derrière un arbre et m'a saisie brutalement à la poitrine et à la hanche… là, la hanche gauche, précise-t-elle en montrant l'endroit. J'ai hurlé de douleur tellement il me faisait mal.

— Mais pour quelle raison ? demande le maire d'un air intrigué.

— Il n'a pas voulu que je fauche le long des fossés et dans les oseraies de l'Ill, car cela appartient à la ville. Moi je ne le savais pas. J'ai demandé la permission à Joseph Misslin, le garde des prés. Il m'a répondu que la commune ne louait pas ce genre de terrain et que je pouvais ramasser l'herbe autant qu'il me plairait. Alors voilà, je ne comprends pas le comportement d'Ignace. Il m'en veut beaucoup. Je ne sais pas pourquoi...

— Bon, madame, je vais tirer cela au clair.

Le maire se lève d'un bond après avoir jeté un coup d'œil sur sa montre à gousset.

— Je dois vous laisser, je dois encore passer à l'hôpital et il est déjà 11 heures.

Catherine Kistler en fait tout autant en s'appuyant péniblement sur son bâton et suit le maire jusqu'à la porte du bureau.

— Allez, Madame Kistler, je vais voir ce que je peux faire. Si tout ceci devait se révéler exact, Ignace vous devrait de sérieuses excuses !

— Je n'en veux pas de ses excuses ! Je veux juste qu'il me laisse tranquille !

— Bien madame, je ferai le nécessaire. Allez bonne journée.

— Merci, Monsieur le Maire, à vous aussi.

Elle se tourne prestement et se dirige vers l'escalier en colimaçon qui la ramène au rez-de-chaussée.

Elle se retrouve sous les arcades de l'hôtel de ville où Georges Ferber, le garde champêtre, en pleine discussion avec Joseph Ketterlen, le facteur-barbier, l'attend à côté de la charrette.

— Merci Georges. Tu n'auras qu'à passer un de ces jours pour boire un petit schnaps... Fidèle sera content de te revoir pour parler un peu. Il est toujours seul dans son atelier. Il ne cause plus à Antoine. C'est un sacré bœuf, celui-là.

Antoine, c'est Antoine Fichter, un gars originaire de Blodelsheim de quarante-trois ans, fils d'un père maréchal-ferrant. Il est également potier de son état. C'est Fidèle qui lui a appris les rudiments du métier. Les deux s'entendaient très bien. Et comme le travail ne manquait pas, Fidèle avait demandé à Antoine de rester et de travailler pour lui. Tout fonctionnait à merveille. Lorsque Antoine a épousé, en 1837, Anne-Marie Burglin, une fille d'Ensisheim, qu'il avait rencontrée à la foire

Sainte-Catherine, Fidèle était un des témoins du mariage. Le couple s'est installé dans le faubourg Ouest dans une aile de la maison occupée par les Kistler. La maison se prête bien pour héberger deux familles. Elle est basse et longue avec un rez-de-jardin. Les Kistler entrent par la porte avant qui donne sur le chemin et les Fichter passent par l'arrière en empruntant le jardinet des Kistler.

Du fond du jardinet, on aperçoit la tuilerie de Laurent Blosser. Une demi-douzaine d'ouvriers tuiliers y travaille. Catherine Munsch, une tuilière, réside sur place dans un petit logement affecté au gardiennage. La briqueterie-tuilerie existe depuis fort longtemps. En effet, vers 1600, on mentionne que la femme du tuilier Bader, Anna, a été brûlée pour sorcellerie sur la place publique, comme cela était d'usage.

La cohabitation entre les familles Kistler et Fichter devient problématique au fil du temps. Au début, les hommes s'entendent comme larrons en foire enchaînant, dans l'atelier, après une longue journée de dur labeur, des beuveries mémorables ou la bière du brasseur Munsch et le schnaps distillé « maison » coulent à profusion. Mais au bout d'un moment, l'alcool aidant, les têtes rougissent et les langues pâteuses déversent des vérités ou des mensonges qui atteignent parfois l'un, parfois l'autre avec une telle véhémence qu'il leur arrive d'en venir aux mains. Cependant, la querelle ne dure pas, les deux protagonistes qui ne tiennent plus debout, s'écroulent et cuvent près des tours entre des pots, des assiettes et des bols.

Antoine est un grand gaillard au visage pâle et oblong, à la peau grêlée. Une fine moustache bien entretenue accentue sa personnalité. Pourtant, comme son patron Fidèle, il a le vin mauvais. Chaque fois que les deux se défient, cela se termine par une capitulation réciproque. Les deux abdiquent et, sur l'insistance de leurs femmes, regagnent péniblement leur lit pour sombrer dans un profond sommeil semi-comateux. Le lendemain, ils se retrouvent dans l'atelier, la tête lourde, les yeux rougis, le teint livide et l'haleine chargée. Chacun dans son coin, découpe des plaques dans l'argile à l'aide de tasseaux et d'un rouleau pour garantir l'épaisseur. Ensuite, ils procèdent au modelage en utilisant leur savoir-faire et leur talent. Fidèle est plutôt un adepte du façonnage en colombins. Il roule la masse en boudins plus ou moins grands en fonction de l'objet qu'il veut réaliser. Puis il les superpose en maîtrisant l'humidité de l'argile et travaille la pièce sur le tour. Antoine, dans son coin, fabrique de la barbotine, la colle du céramiste. Elle sert à souder les anses, les becs, les poignées, les pieds...

Seul le va-et-vient du balancier d'une vieille pendule accrochée au mur rythme les longues journées dans une atmosphère pesante, voire pénible. De temps à autre, Fidèle, le corps penché sur le tour rompt le silence en pestant contre les impôts qu'il devra bientôt verser à Charles Breitel, le percepteur du village, ou en se plaignant de l'état de ses jambes qui ont de plus en plus de mal à le soutenir et de ses doigts gonflés qui le font souffrir.

Catherine n'aime pas Antoine. Elle lui reproche, entre autres, son attirance pour l'alcool. Il entraîne son mari à en consommer plus que de raison. Fidèle, a la santé très fragile et il se laisse facilement convaincre. Et cela, Catherine ne le supporte pas.

Il arrive à Antoine de bousculer Catherine dès que les esprits s'échauffent. Sa femme Anne-Marie a beau essayer de le raisonner, rien ne peut l'arrêter. L'effet de l'alcool prend le dessus. Fidèle, lorsqu'il ne peut s'interposer physiquement, vocifère de telle manière qu'il oblige le voisinage et notamment le tuilier, Laurent Blosser, à intervenir pour tenter de calmer le jeu. Le lendemain, tout rentre dans l'ordre et les potiers, gênés du comportement de la veille, têtes basses, se rendent à l'atelier. Fidèle allume le four et Antoine prépare la terre glaise.

Après sa visite à la mairie, Catherine revient chez elle et demande à Fidèle de la rejoindre à la cuisine. Elle a hâte de lui raconter la conversation qu'elle a eue avec le maire. Fidèle bougonne, car il n'aime pas être dérangé lorsqu'il façonne une pièce sur son tour. Mais pour éviter de contrarier sa femme, il se lève, va se laver les mains dans une bassine remplie d'eau et se dirige, agacé, dans la petite cuisine où l'attend une Catherine impatiente.

— Alors, demande Fidèle, que se passe-t-il ?

— Je suis allée voir le maire à cause d'Ignace, répond Catherine d'un ton exacerbé.

— Ignace ? Encore lui !

— Je t'ai bien dit qu'au printemps dernier, il m'a agressée alors que j'ai ramassé l'herbe au Grundboden pour le cheval et pour les lapins. Il est tombé sur moi comme une furie en me menaçant. Il a proféré des jurons tout en me traitant de sorcière. Je n'ai, d'après lui, rien à faire ici sur un terrain communal. Tu t'en souviens ?

— Oui, je m'en souviens, rétorque Fidèle en se grattant le front.

— Et bien, j'ai réfléchi et je me suis décidée à ne pas laisser passer cela et d'en informer le maire. J'y suis allée ce matin et il m'a reçu.

— Tu es culottée. Tu ne penses pas qu'il a autre chose à faire que d'écouter tes histoires. Et maintenant, que fera-t-il ?

— Il va le convoquer et je pense qu'il va le sanctionner comme il le mérite ! Par contre, je veux que dorénavant, tu m'accompagnes lorsque je retournerai couper de l'herbe. J'ai peur de cet ignoble individu. Je le redoute ! Un jour, cela va mal tourner ! s'écrie-t-elle en brandissant son bâton au-dessus de sa tête, les yeux exorbités remplis de rage.

Elle tremble de tout son corps. Pour la calmer, Fidèle lui sert un verre de vin qu'elle avale d'un seul trait.

Antoine, qui n'a entendu qu'une partie de la discussion du fond de l'atelier, se précipite dans la cuisine, craignant une nouvelle altercation du couple. Mais Fidèle lui fait signe de retourner à la poterie. Il n'y a rien de grave et cela ne doit pas tenir lieu de prétexte pour interrompre le travail.

— Tu sais, poursuit Catherine, l'endroit où je coupe l'herbe, le Grundboden, se trouve près de l'Ill, le long du fossé, sous les saules. Les indigents s'y servent aussi pour nourrir leurs vaches et leurs chevaux. Alors je ne vois pas pourquoi cet abruti d'Ignace m'en empêche !

— Calme-toi maintenant. Je dois retourner à l'atelier vider le four. On en reparlera ce soir.

Le faubourg Ouest est situé de l'autre côté de l'Ill. Il est accessible par un pont en grès rose au bout de la Grand-rue. Dans ce quartier, en plus de la tuilerie, Jacques Sautier fabrique, dans sa petite usine, des pièces de quincaillerie, Gabriel Rapp produit des tonneaux et Nicolas Schuller exerce son métier de forgeron.

Catherine s'est enfin calmée. Son cœur s'est remis à battre normalement. Elle est apaisée. Fidèle doit la protéger bien qu'il ne soit plus aussi vaillant qu'il y a une vingtaine d'années. C'est son rôle de mari. Il doit l'accompagner quand elle va au Grundboden. Elle veut être rassurée.

Dans son jardin, Catherine cultive des herbes médicinales avec lesquelles elle compose des tisanes, des décoctions, des onguents et autres essences aux bienfaits indéniables. Sa mère l'y a initiée dès son plus jeune âge. Chaque plante est destinée à soigner un mal. C'est la passion de Catherine. Mais, cette passion n'est pas bien vue par certaines personnes qui voient dans cette pratique plutôt des actes de sorcellerie. L'attitude bizarre parfois inquiétante de Catherine ne laisse planer aucun doute. Même Antoine la soupçonne d'agissements diaboliques. Elle a très peu d'amis, car, depuis son arrivée à Ensisheim, elle a fait le vide autour d'elle. Elle ne vend que les poteries et ses précieux et mystérieux remèdes qu'elle destine à ses rares connaissances, moyennant quelques sous. Son mari est beaucoup plus affable et estimé. Un bon bougre en quelque sorte ! Ses relations avec Catherine sont souvent tendues, mais Fidèle n'insiste pas lorsque le ton monte. Il renonce à toute confrontation, car Catherine veut toujours avoir le dernier mot. Il s'en est fait une raison et c'est beaucoup mieux ainsi, pense-t-il. Il a le même âge qu'elle, soixante-quatorze ans. Son corps fatigué commence à l'inquiéter, des douleurs apparaissent un peu partout. Depuis plus de cinquante ans, il ne fait que pétrir de la terre glaise, le dos courbé sur son tour et préparer les bains d'émail pour y plonger les biscuits précédemment chauffés à plus de mille degrés. Ses doigts difformes ont de plus en plus de mal à réaliser un ajustage correct et à décorer l'émail cru. Antoine doit souvent lui rectifier la pièce qu'il a mise en forme. Et puis, le four qui doit être alimenté régulièrement, cela oblige Fidèle à d'énormes efforts. Il songe tout doucement à s'arrêter de travailler. Il sent qu'il s'épuise et qu'il n'ira pas plus loin. Son corps usé défaille et l'abandonne petit à petit. Il envisage, à contrecœur, de céder son atelier à Antoine. Il sait qu'il n'a pas trop le choix. En le lui laissant, Antoine lui versera une rente mensuelle qui, en s'ajoutant au loyer, permet d'assurer ses besoins, et ceux de sa femme jusqu'à la fin de leurs jours. Ils pourront enfin se reposer et couler des journées paisibles. Fidèle en a déjà touché un mot à Antoine et celui-ci s'est montré très intéressé. Il pourra ainsi travailler seul et à son compte. C'est son rêve. Comme les affaires tournent bien, il accepte, sans rechigner, de lui payer une rente tous les mois. Le montant est à définir. Il suffit pour cela d'aller voir Maître Laurent Halm, le notaire pour enregistrer leur accord. Il ira prendre conseil auprès de lui.

Après avoir bien mûri son idée et pesé le pour et le contre, Fidèle décide d'en faire part le soir même à Catherine.

La conversation tourne court.

— À Antoine ? Jamais de la vie !

— Mais Catherine, je lui en ai déjà parlé et il accepte de reprendre l'atelier en nous versant une rente mensuelle. Pour nous, ce sera du pain béni ! Tu vois bien que je ne peux plus travailler. J'ai mal partout !

— Il n'en est pas question ! À Antoine ? Tu délires à présent ! Tu peux vendre le tout, mais pas à lui !

— Mais pourquoi ? Qu'as-tu contre Antoine ? Il a une femme agréable et deux adorables enfants.

— Ah, il t'a fait boire comme un demeuré. C'est à cause de ça que tu ne peux plus travailler. Tu n'as plus qu'à le remercier maintenant ! Non, mais ! Et quoi encore !

Elle rajoute en pointant son index sur le front de Fidèle :

— Tu peux t'inscrire ça dans la tête, de mon vivant, jamais je ne signerai quoi que ce soit devant notaire en sa faveur !

Fidèle a beau insister, Catherine ne plie pas. Elle ne veut plus revenir sur la discussion. Pour elle, l'affaire est classée.

Fidèle, une nouvelle fois, doit s'avouer vaincu. Décidément, il n'arrivera jamais à s'imposer comme un vrai chef de famille. Catherine est trop impulsive et il la craint. Il tourne ses talons et regagne l'atelier. Derrière le tas de bois qui sert à nourrir le feu du four, il sort une petite fiole qu'il a cachée et qui contient une eau-de-vie issue de premiers distillats. D'un coup, d'un seul, il vide tout le contenu de la flasque. Il quitte la maison, ouvre la braguette de son large pantalon rapiécé et va se soulager contre l'arbre devant le portail de sa demeure.

L'affaire est classée terminée, on n'en reparlera plus… Désormais, il faudra l'annoncer à Antoine et ce ne sera pas chose aisée. Mais ce dernier, connaissant le caractère de Catherine, comprendra sûrement. On verra demain.

Fidèle part se coucher, le cerveau embrumé par les effluves du schnaps qu'il vient d'ingurgiter à toute hâte.

Chapitre 2

Le lendemain matin, Fidèle a sa mine des mauvais jours. Antoine, lui, arrive de bonne humeur à l'atelier. Mais il doit vite déchanter lorsqu'il voit la figure dévastée de Fidèle.

— Ça ne va pas Fidèle ? Pourtant, hier, on n'a pas bu. Je n'ai pris que de l'eau. Tu parles avec cette chaleur dehors et ici, le four qui en rajoute.

— Non, ça ne va pas, grommelle Fidèle, la tête baissée sur un morceau d'argile qu'il commence à dégrossir. Tu te souviens de notre récente conversation au sujet de mon idée de te céder l'atelier ? Fallait bien que j'y songe un jour. Je ne suis pas éternel sur cette terre et en plus, mon corps est perclus de douleurs.

— Oui, je m'en souviens bien, c'était il y a environ trois ou quatre mois. Comme tu ne m'en as plus reparlé, j'ai pensé que tu as changé d'avis. Anne-Marie se réjouit, elle a déjà commencé à mettre quelques pièces de côté.

— Eh bien, elle n'a plus besoin de se réjouir, ni d'ailleurs d'économiser… Catherine a mis son veto. Elle refuse de te céder l'affaire… Elle préfère que je signe avec un autre acheteur, mais pas avec toi.

— Mais pourquoi ? Je ne comprends pas ! Je sais qu'elle ne m'apprécie guère. Mais quand même. D'ailleurs moi non plus je ne l'aime pas, s'écrie Antoine sidéré.

— Je sais. Je dois malheureusement tourner la page, je ne veux pas de problème avec elle. Tu connais son sale caractère. Elle est capable de n'importe quoi pour imposer son autorité. Elle est même allée chez le maire, sans me mettre au courant, pour se plaindre d'Ignace Lammert.

— Je ne comprends pas pourquoi tu la laisses faire. Affirme-toi bon sang !

Désolé de te le dire, c'est vraiment une femme méchante, une sorcière ! Des mégères comme elle, à une certaine époque, on les brûlait sur la place publique !

— Arrête, tu exagères, réplique Fidèle, excédé par les dures paroles qui sortent de la bouche d'Antoine.

Fou de rage, Antoine saisit une assiette prête à aller au four, et la lance contre le mur en hurlant :

— Qu'elle crève cette peste !

Antoine voit son rêve s'effondrer à cause de cette Catherine qu'il déteste. Anne-Marie, sa femme, sera triste quand elle apprendra la nouvelle. Comment va-t-il le lui annoncer ? De bien mornes journées en perspective. Il n'a qu'une envie, c'est d'étrangler cette maudite bonne femme tellement sa déception est immense.

Fidèle, comme à son habitude, ne réagit pas devant la haine d'Antoine. Il n'a pas assez de poigne pour calmer la colère qu'il comprend néanmoins. La volonté de Catherine demeure plus forte que tout au monde. Il est démuni de tout moyen pour tenter d'infléchir sa décision.

— C'est bien toi qui as créé l'atelier de poterie ? C'est bien toi qui fais vivre ta famille ?

Fidèle acquiesce d'un hochement de la tête.

— Alors, réagis bon sang ! Secoue-toi !

— Ce n'est pas la peine. Elle ne veut rien entendre ! On verra cela plus tard.

Antoine n'est plus concentré sur son travail. Son impulsivité et sa rage ont pris le dessus. Que doit-il faire ? Des idées noires envahissent son esprit déjà très perturbé.

— Où est-elle ? Je vais lui parler !

— Elle est partie au village, au marché, avec de la vaisselle qu'elle espère vendre. Tu vois bien qu'elle est indispensable pour moi. Je ne pourrai jamais produire et écouler la marchandise en même temps.

Mais là, j'envisage sérieusement de m'arrêter. Il faut que je tombe sur quelqu'un qui reprenne l'atelier et qui sache travailler correctement. Je suis trop fatigué. Attends encore, je vais trouver une solution.

Sur la place de l'Église, les vendredis matin sont animés. C'est le jour du marché. Catherine s'installe avec sa charrette sous les arcades de la mairie d'où elle hèle les acheteurs en vantant la qualité de sa poterie et de sa vaisselle. Elle ne s'y rend que si les pièces fabriquées en atelier sont importantes et variées.

Le jour de marché reste incontournable pour les habitants d'Ensisheim. Les petits paysans locaux étalent leurs produits sur des planches posées sur des tréteaux de fortune.

De temps à autre, des cultivateurs et des maraîchers des villages voisins viennent écouler leurs invendus de la semaine. Ils y vont avec leurs chevaux qui tirent les imposantes charrettes chargées de volailles et de lapins, enfermés dans leurs cages, de pommes de terre, de légumes et de fruits de saison, d'œufs…

Catherine adore cette atmosphère. Elle sait très bien qu'elle trouvera des acheteurs pour sa vaisselle et ses poteries. Au printemps, elle vend aussi du pissenlit qu'elle cueille la veille dans les prés autour de sa maison.

Pour elle, c'est l'occasion de bavarder avec Sophie Biehler et Catherine Fessler, les fruitières locales qui tiennent leurs stands à côté d'elle. Elles n'apprécient guère la présence des marchands de quatre saisons qui viennent d'autres villages aux alentours et qui leur font concurrence. Et puis ce jour-là, on rencontre du monde, des connaissances, des amis, des ennemis également. On peut y croiser Jacques Lévy, le casquettier, Dominique Weiss, le tailleur, Charles Breitel, le percepteur qui achète son pain chez Joseph Dueth, le boulanger de la place qui est aussi adjoint au maire.

Il y a encore Ignace Stadler, le crieur de nuit qui déambule sur la place avant de pénétrer dans l'auberge de Nicolas Peter, pour étancher sa soif. En plein été, sous un soleil au zénith, la chaleur est insupportable et les gosiers asséchés. Depuis que le clocher de l'église s'est effondré, Ignace Stadler hurle les heures du haut du balcon du palais de la Régence, côté Grand-rue. Son service débute à dix heures du soir jusqu'à minuit. Les mains en haut-parleur devant sa bouche pour porter sa voix, il crie « c'est le guet, il a sonné dix, il a sonné dix ! ».

Un autre personnage incontournable parcourt le marché : Louis Deninger, le sergent de ville et appariteur. Il actionne une petite cloche pour annoncer sa présence et attirer l'attention des badauds. Dès qu'il estime avoir suffisamment de monde autour de lui, il donne lecture, avec sa haute et intelligible voix de stentor, du contenu du texte fourni par le secrétaire de mairie. Puis il continue son itinéraire habituel aux quatre coins de la commune où il communique dans chaque quartier, l'information officielle de la municipalité. Quand il a achevé sa tournée, il affiche la feuille à la porte de la mairie sur un panneau spécialement conçu à cet effet.

Catherine a presque tout vendu et elle s'apprête à rentrer chez elle lorsqu'elle est interpellée par son ennemi juré, Ignace Lammert, qui, aujourd'hui, est chargé des encaissements des droits de marché.

— Hé là ! As-tu payé ta place ? Il me semble bien que non ! Tu ne m'échapperas pas cette fois-ci. Et d'ailleurs, j'ai un sérieux problème à régler avec toi.

Catherine fait mine de ne rien entendre et presse le pas pour éviter d'être face à lui, chose qu'elle redoute terriblement. Malheureusement, son encombrante charrette l'empêche de se mouvoir comme elle le souhaite et d'un coup, l'imposante main du garde l'agrippe à l'épaule et la plaque contre un pilier.

— Laisse-moi tranquille ! Ne me touche pas ou je crie !

— Tu dois cinquante centimes pour l'emplacement !

Elle ne proteste pas pour parer un esclandre. Elle met sa main dans la poche avant de son tablier et en sort une poignée de pièces. Elle cherche de son regard apeuré la monnaie réclamée qu'elle tend toute tremblante à l'agent communal.

— Tiens, et fous-moi la paix !

Ignace Lammert n'en a pas fini avec elle.

— Qu'est-ce que tu avais à râler chez le maire ? Tu lui as raconté des balivernes n'est-ce pas ?

Catherine est terrorisée. Aucun son ne s'échappe de sa bouche. Elle ne peut pas répondre, elle est paralysée. Elle ne sent plus ses jambes flageolantes et craint de fléchir, de tomber.

Médusés, les badauds commencent à se rassembler autour d'eux pour ne rien rater de la scène qui se déroule sous leurs regards. Il y aura de quoi causer, dans les chaumières, en rentrant à l'heure pour la soupe.

— On s'expliquera plus tard ! Ne t'inquiète pas, on se reverra, je peux te le garantir ! hurle Ignace Lammert sur un ton menaçant en la fixant de ses yeux exorbités.

Il la relâche d'un coup, met la pièce dans sa sacoche en cuir et s'en va en écartant d'un revers de main les curieux qui forment un cercle autour de lui.

Catherine, dans tous ses états, dégage sa charrette restée coincée sous les arcades, entre un pilier et l'étal de Cerf Hecker, le boucher. Elle file droit dans la Grand-rue puis traverse le pont de l'Ill et, enfin, emprunte sur sa gauche le chemin qui doit la ramener chez elle. Ses pas sont toujours hésitants, car l'affront public qu'elle vient de subir l'a particulièrement traumatisée. Dès qu'elle rentre, elle appelle son mari qui accourt dans la cuisine où il découvre sa femme livide, affalée sur une chaise, la tête entre ses mains.

— Il m'a de nouveau provoquée !

— Qui ? demande Fidèle.

— Mais Ignace ! Il m'a accusée de ne pas vouloir m'acquitter du droit de place au marché. J'allais partir lorsqu'il a foncé sur moi comme une furie. Je n'ai pas pensé qu'il venait pour encaisser. Il me fait peur ! Je n'en peux plus de lui ! Va le voir et dit lui qu'il me fout la paix !

— Allez, Catherine, calme-toi. J'irai m'expliquer avec lui si ça peut te rassurer. Tiens, déjà midi, mets la soupe à chauffer. Je sors les poteries du four et j'arrive dans un quart d'heure pour le déjeuner.

Fidèle a horreur des tensions, des agressions et des conflits en général. Il prétexte, à chaque fois, un motif, quelquefois même une futilité pour s'effacer et s'isoler et ainsi éviter que la situation ne se dégrade, au grand dam de Catherine.

Antoine semble contrarié. Il est en train de remanier une pièce ébauchée pour amincir les parois. Ce travail délicat nécessite une attention particulière et, aujourd'hui, Antoine ne se sent pas en mesure de l'exécuter. Le métier exige de l'imagination, de la dextérité et une bonne condition physique. L'atelier dispose de deux tours à entraînement par le pied. Fidèle a de plus en plus de mal à imprimer une vitesse régulière et soutenue du tour, contrairement à Antoine, nettement plus vaillant.

— Catherine a une nouvelle fois été malmenée par Ignace, soupire Fidèle, l'air fatigué, les traits tirés.

— Bien fait pour elle ! Elle ne mérite que ça ! C'est une mauvaise femme ! Désolé de te le dire, réplique Antoine. Je ne te cache pas que si elle quittait cette terre, cela arrangerait bien des choses.

— Que veux-tu insinuer par là ? Tu souhaites sa mort ?

— Pas forcément et peu importe, mais qu'elle disparaît. Un point c'est tout !

— Mais c'est ma femme, Bon Dieu ! Certes, nous ne sommes plus aussi complices qu'il y a quelques années. J'en conviens. Mais de là à vouloir sa mort... Il y a des limites tout de même !

Catherine évite Antoine. Elle ne souhaite pas l'affronter face à face. Elle sait que s'il est imbibé d'alcool, il peut devenir violent et s'en prendre à elle. Il n'y a qu'un couloir qui sépare le logement de Catherine de l'atelier. Chaque fois qu'elle doit sortir, elle passe sa tête dans l'entrebâillement de la porte afin de s'assurer qu'Antoine ne circule pas dans le corridor, ou bien elle tend l'oreille pour écouter si les deux tours fonctionnent bien dans la boutique. Mais aujourd'hui, distraite ou pressée, Catherine ne prend pas la peine de vérifier si la voie est libre. Elle quitte la cuisine en prenant soin de bien fermer la porte à clé. Mais, au moment où elle se retourne, elle laisse échapper un cri ! Antoine se trouve face à elle. Il arbore son fameux beau sourire un brin ironique.

Se moque-t-il d'elle ? D'un geste du bras, elle tente de l'écarter pour se frayer un passage. Mais Antoine lui barre l'accès vers la sortie.

— Oh Catherine, pas si vite. On a des choses à régler.

— Je ne désire pas discuter avec toi. Si c'est pour acheter l'atelier, n'y compte pas ! Voilà, c'est tout. Laisse-moi passer !

— Pourquoi ne veux-tu pas me vendre la boutique ? Tu es vieille, ton mari est souffrant. Tu penses que tu l'emporteras au paradis ou plutôt en enfer ?

— Tu sais pourquoi ! Mon mari est malade à cause de toi. Tu l'incites à des beuveries et tous ces excès d'alcool jouent sur sa santé ! Et tu veux encore savoir autre chose ? Tu l'as délibérément fait boire pour te débarrasser de lui au plus vite. Mais mon Fidèle tient le coup ! Il t'enterrera bien avant !

— Je crois que tu es vraiment folle. Toute la ville te traite d'aliénée, de sorcière. Je soupçonne tes mixtures d'herbes que tu lui sers en tisane pour, soi-disant, le guérir… C'est plutôt toi qui en es responsable avec tes remèdes à la noix ! Regarde maintenant, dans quel état il est !

— Ce n'est pas ton problème ! Et arrête de dire n'importe quoi ! À présent, va travailler et laisse-moi passer !

Antoine, conscient qu'il n'arrivera pas à dialoguer avec Catherine, se résout à faire un pas en arrière, et s'écarte pour lui céder le passage.

Aussitôt, Catherine s'échappe dans son jardinet où poussent un mélange hétéroclite de fleurs odorantes aux couleurs vives et des herbes sauvages qu'elle cueille avec soin. Antoine regagne l'atelier où Fidèle l'attend pour vider le four.

C'est décidé, Fidèle ira voir Ignace Lammert. Il ne supporte plus que sa femme fasse sans cesse l'objet de réprimandes infondées ou d'agressions qui, un jour, pourront mal finir.

Le lendemain matin, il pioche quelques francs dans une boîte métallique qu'il a cachée dans l'armoire de la chambre à coucher et, à onze heures, il annonce à Antoine qu'il va s'absenter. Lorsqu'il quitte la maison, il aperçoit Catherine qui rentre avec, sur son dos, un sac d'herbe fraîchement coupée destinée à son vieux cheval qui piaffe dans l'enclos.

— Je vais voir Ignace ! Je serai de retour pour midi.

— Bien. Fais attention, c'est un costaud.

— Il ne m'impressionne pas. Je vais lui donner de mes nouvelles.

À cette heure-ci, il sait où le trouver. Il ne peut être que chez Louis Zeller, l'aubergiste de la Grand-rue ou chez Joseph Sommerhalter, qui tient également un café dans l'artère principale.

Ignace Lammert, soixante et un ans, né à Ensisheim, est le fils du laboureur Louis Lammert et d'Agathe Dischert. C'est Madeleine Mosser, la sage-femme, qui l'a accouché, le 24 nivôse de l'An III, soit le 13 janvier 1795, par un froid sibérien. Le thermomètre est descendu à moins de 23 degrés. Ancien journalier, il est nommé garde champêtre, dans les années 1840. Il connaît parfaitement les limites du ban de la commune. Dans l'exercice de ses fonctions, il est assisté par Georges Ferber, un grand gaillard de quarante ans et Joseph Misslin, un garde des prés de cinquante-trois ans. Tous habitent dans le Siesswinkel, impasse qui changera de nom pour devenir plus tard, la rue Bonbonnière.

Ignace est un homme à forte carrure, au visage rond, au teint rosé et doté d'une calvitie précoce. Il est particulièrement connu pour son zèle excessif et son caractère violent, ce qui lui fait une réputation sulfureuse. Il a épousé en 1817 une fille de Réguisheim, Marie-Anne Pignery. Elle lui a donné trois enfants, Anne Marie, née en 1818, Thérèse, née en 1823, malheureusement décédée en 1827 et enfin Joseph, né en 1827, qui deviendra, d'abord facteur rural puis éclusier. Il se mariera avec Catherine Haebig.

Ignace Lammert avec son imposante stature et son timbre de voix tonitruant ne laisse personne indifférent. À part ses amis qui l'apprécient beaucoup, une grande partie de la population le redoute et le décrie.

D'un pas ferme et résolu, Fidèle traverse le pont de l'Ill pour s'engager dans la Grand-rue. L'auberge de Joseph Sommerhalter, qui sert également de boucherie, se trouve à quelques enjambées sur sa gauche. Elle se situe à l'angle de la rue du Moulin. L'entrée se fait par la Grand-rue, face à la prison. Il espère bien y trouver Ignace. Il pénètre dans l'établissement et salue d'un geste amical les quelques habitués attablés devant une chopine de vin et, balayant du regard l'intérieur de la salle, il constate, à sa grande déception, qu'Ignace n'est pas là.

En son for intérieur, il est très énervé, car l'auberge de Louis Zeller est située à l'autre bout de la Grand-rue. Il doit donc sûrement se trouver là-bas à cette heure-ci. Il prend son courage à deux mains et sans hésiter, se rend chez Louis Zeller. À plus de soixante-dix ans, le trajet semble s'étirer et paraît bien plus long. Dans les rues, il rencontre quelques connaissances qui lui demandent de ses nouvelles. Il est vrai que Fidèle vient rarement en ville. Plutôt casanier et agoraphobe, il préfère rester chez lui ou dans l'atelier et respirer l'odeur agréable de l'argile.

Il arrive enfin à l'auberge de Louis Zeller. Le tenancier de quarante-deux ans exploite l'établissement avec sa charmante et jeune femme de vingt-sept ans, Françoise née Immelmann. Ils ont trois bambins de trois, deux et un ans. L'activité est florissante. Le physique avantageux et la gentillesse de Françoise ne sont pas étrangers à cette réussite. Lorsque Fidèle entre dans la salle, il est fortement incommodé par la fumée âcre et l'odeur persistantes des pipes et des cigarettes. Il n'a pas l'habitude de fréquenter les cafés enfumés. D'un rapide coup d'œil, il aperçoit, assis à une table ronde, Ignace Lammert en pleine conversation avec trois autres acolytes déjà bien pris de vin. La discussion doit sûrement concerner la chasse ou les rendements des prochaines cultures. Fidèle s'approche de la table et interpelle Ignace en raclant le fond de sa gorge irritée par les volutes de fumée qu'il inhale :

— Salut ! Pourrais-je te parler un instant ? Seul à seul ?

— Tu peux causer devant mes amis. Tu les connais. Je n'ai pas de secrets pour eux.

Henri Fischesser, le maréchal-ferrant, Denis Deybach, le ferblantier et Ignace Stadler, le serrurier sont attablés devant leur verre de vin blanc à moitié vide. Tous sont des artisans qui se permettent de passer quelques bons moments de la journée et principalement avant l'heure de midi, chez les Zeller, pour refaire le monde.

— Désolé, mais ce que je veux te dire ne les regarde pas. Je désire m'adresser au garde champêtre.

— Ah ! Il est vrai qu'ici, nous ne sommes pas au confessionnal. Ha ha ! Tu peux venir à la mairie, nous y discuterons tranquillement. Disons demain matin ?

— Non ! Demain, j'ai autre chose à faire. Là, je suis venu spécialement pour te voir. Je t'ai cherché un peu partout en ville. Je t'ai trouvé et maintenant je ne te lâcherai plus.

— Bon parfait ! Suis-moi.

Il se lève, saisit son képi qu'il a accroché à la chaise et fait signe à Fidèle de l'accompagner. Il s'installe à une table au fond de la salle et invite Fidèle à en faire de même. Il y a moins de fumée à cet endroit-là. Fidèle est plus à son aise.

— Ben, voilà. Je veux te voir parce que ma femme Catherine se plaint. Elle a peur de toi. Tu n'arrêtes pas de l'agresser. Hier encore au marché, tu t'es rué sur elle prétextant qu'elle voulait fuir pour ne pas payer l'emplacement.

— C'est exact ! Chaque fois, elle me fait le coup ! Je n'aime pas être pris pour un idiot !

— Soit, reconnaît Fidèle, mais comment expliques-tu alors ton attitude quand tu la croises au Grundboden ? Elle ne fait rien de mal. Elle ne coupe que de l'herbe pour nourrir nos animaux. Tu oublies qu'au printemps dernier, tu l'as déjà agressée physiquement et j'aurais pu déposer plainte auprès des gendarmes ou encore chez Ignace Meyer, le juge de paix. !

— Agressée, agressée… Tu exagères ! Un peu bousculée, oui, car elle est devenue menaçante. Elle m'a nargué en me montrant sa serpette ! Ça voulait tout dire !

— Ne me dis pas que tu as peur de Catherine ? Arrête, tu me fais rire.

— J'ai dû me défendre. J'aurais bien voulu t'y voir, toi ! Je ne souhaite plus la rencontrer au Grundboden. Elle n'a qu'à emmener son cheval paître sur l'Allmend et ramasser l'herbe là-bas ! Ce sont des prés communaux.

— Mais Ignace, rends-toi compte, elle a soixante-douze ans et elle marche mal. Elle ne pourra jamais amener son canasson à l'Allmend, tous les jours ! Tu t'imagines ? Et les lapins, j'en fais quoi ? Non, Ignace, là, tu en demandes trop. Et pourquoi ne veux-tu pas qu'elle coupe l'herbe au Grundboden ?

— Elle traverse des prés privés pour y accéder. Elle piétine le fourrage vert des propriétés voisines !

— Bon, d'accord, mais tu as une façon de lui parler et d'agir…

— Je parle comme la nature m'a fait, et je n'ai pas l'intention de me comporter différemment, ni avec ta femme ni avec personne d'autre. Je suis comme je suis et je ne changerai pas. Un point c'est tout !

Fidèle est déconcerté. Il n'a plus de mots. Il aurait aimé que Catherine soit là pour lui distiller quelques venins, histoire de réduire à néant les arguments avancés par Lammert. Il se gratte le front, les yeux baissés, l'air penaud. Pour apaiser la discussion, il propose à Ignace une chopine de vin. Bien qu'il soit déjà bien aviné, il acquiesce volontiers par un simple hochement de tête.

— Louis ! Apporte-nous deux chopines de rouge, s'exclame Fidèle, le bras levé.

En 1841, l'ensemble de la population d'Ensisheim possédait près de six cents hectares de prairies naturelles et artificielles, neuf taureaux, cinquante-quatre bœufs de labour, deux cent soixante-six vaches laitières ou employées à l'exploitation, cent quatre veaux, cinq béliers, deux cent quarante-cinq brebis, quatre-vingts moutons, cent cinquante et un agneaux, deux boucs, soixante-cinq chèvres, douze chevaux et quatre cent cinquante-quatre porcs. Parallèlement à une forte activité artisanale et usinière, beaucoup d'habitants vivent d'élevage. Catherine n'a pas grand-chose en commun avec les éleveurs et les agriculteurs de la commune. Elle ne figure qu'au bout d'une longue chaîne de gens qui vivent de la terre. Au fond, elle n'en vit qu'en partie. Les travaux de poterie de son mari suffisent amplement aux besoins du couple tout en versant un salaire à Antoine, leur unique employé. Mais la présence de son vieux cheval lui est indispensable. C'est son gosse à elle, car elle n'a pas eu le bonheur de connaître la joie d'enfanter. Et puis, il y a aussi les lapins qui sont élevés pour leur fourrure et vendus pour leur bonne chère. Quelques-uns agrémentent le repas dominical des Kistler.

C'est d'un pas hésitant que Fidèle reprend le chemin du retour. Il titube, mais tient debout. Il s'aide, de temps en temps, d'un mur ou d'une porte cochère pour souffler un peu et caler le rythme à sa marche. Que la Grand-rue est longue ! Il rencontre des gens qui le saluent. Mais il a peine à répondre à ces gestes courtois. Il n'a qu'une hâte : rentrer chez lui. Que dira-t-il à Catherine à son retour ? Il y pense, mais son cerveau embrumé ne réagit plus. Il voit, enfin au loin, le pont de l'Ill. Il arrivera bientôt. Il essaie d'accélérer le pas, tant bien que mal. Il évite de tomber. La tête tourne. Soudain, plus rien, sinon un trou noir devant ses yeux. Il lâche.

Le lendemain, Fidèle ne quitte pas son lit de la journée. Il a l'impression qu'une enclume s'est logée dans son crâne. Son haleine est encore chargée, sa langue blanche et son teint blafard. Catherine a beau lui administrer les tisanes de sa fabrication, rien n'y fait, il vomit tout ce qu'il avait dans ses tripes.

Chapitre 3

Dans la Grand-rue, on entend arriver de loin, Jean-Baptiste Rudolf, le fermier du moulin d'Adolsheim, avec sa charrette à foin tirée par deux chevaux. Aujourd'hui, il a chargé des sacs de farine qu'il livre aux huit boulangers de la ville : Georges Streicher, rue de la Couronne, Jean-Baptiste Thomas, rue du Paon, Antoine Goeb, Sébastien Sutter et Xavier Kurrer, Grand-rue, Antoine Goepfert, chemin de l'Hôpital, Joseph Dueth, place de l'Église, et Jean Baptiste Mauses, rue du Rempart. Les invendus sont transportés chez Barthélémy Krafft et chez Antoine Mann qui commercialisent la farine pour les besoins propres des habitants.

Tôt le matin, il prend le chemin Battenheimerweg en longeant, en partie, le ruisseau du Quatelbach. Arrivé à la hauteur de la ferme Saint-Jean, il se dirige ensuite vers le nord où il peut déjà entrevoir, au loin, les toits des premières maisons d'Ensisheim. L'entrée dans le bourg ne passe pas inaperçue. Le bruit sur les pavés des sabots des deux chevaux alerte la population aux premières heures du jour. C'est le moment, pour certains, de récupérer le crottin laissé par les bourrins et destiné à la fumure de leur lopin de terre.

Les boulangeries dégagent, par leurs ouvertures, une agréable odeur de pain bien cuit. Certaines boules encore soumises à la chaleur du four chantent, gonflent et respirent. Elles seront bientôt libérées pour être exposées, croustillantes et dorées, sur les présentoirs prévus à cet effet derrière le comptoir.

Dehors, les lève-tôt sont déjà agglutinés devant la porte des boulangeries. Ils achètent pour quatre-vingts centimes une miche de deux kilos qui servira pour la semaine.

Dès que le soleil se pointe à l'est, les femmes se rendent aux différents lavoirs ouverts tout le long de la rivière du Quatelbach. Le plus grand se situe derrière la prison. Des petits groupes de lavandières d'âges différents, battent, savonnent, lessivent, rincent, et essorent le linge au rythme d'incessantes causeries, de chants et de rires. Les dernières nouvelles du coin y sont dévoilées, filtrées et adaptées à leur guise pour être, en fin de compte, entièrement déformées. Les mauvaises langues s'en donnent à cœur joie. Les retrouvailles du lundi ne doivent en aucun cas être manquées pour celles qui veulent rester au courant des récentes rumeurs qui se propagent en ville.

Au déjeuner ou au souper, les histoires seront rapportées aux maris. C'est ainsi que bien de choses, vraies ou fausses, circulent par le bouche-à-oreille.

Dans la soirée, le curé Apollinaire Freyburger est appelé à administrer les derniers saints sacrements au petit Jean-Baptiste Stalder, décédé à l'âge d'un an. Deux jours auparavant, il a baptisé Joseph Wermelinger. La vie est remplie de joies et de peines. Tous les deux ou trois jours naît un enfant ou disparaît un être cher. En cette année 1856, la mairie enregistre cent une naissances et cent cinquante-quatre décès. La population carcérale compte pour un grand nombre parmi ces décès qui sont généralement imputés au scorbut, une maladie due à une carence de vitamine C.

Après une journée et une nuit cauchemardesques, Fidèle peut enfin s'asseoir au bord de son lit. Sa tête tourne même au ralenti, mais il sait maîtriser la situation. Déboussolé, il relève que Catherine n'est plus, ou pas encore, dans la chambre. Il jette un rapide coup d'œil sur la vieille horloge qui indique dix heures. Il en conclut que sa femme est déjà sortie. Il se lève, se tâte le front et constate qu'il a une bosse. Il se dirige vers la cuisine et se verse un grand verre d'eau qu'il tire d'un broc en terre cuite. À peine l'a-t-il posé dans l'évier en pierre taillée, que Catherine entre dans la cuisine, l'air mauvais.

— Honte à toi, s'écrie-t-elle en levant les bras au ciel. Tu te rappelles comment et quand tu es rentré hier ? Le matin, tu as quitté la maison à dix heures. Je t'ai vu. !

— Calme-toi. Je ne sais plus ce qui s'est passé. J'étais un peu malade, je crois.

— Malade ? Tu puais le vin, oui ! Ton pantalon est déchiré aux genoux, ta blouse, pleine de vomi, j'ai dû la jeter. Non, mais, ça ne va plus très bien chez toi. Tu devrais avoir honte !

— Je me rappelle vaguement que j'ai vu Ignace chez Louis.

— Louis ?

— Zeller, l'aubergiste.

— Ah oui ! Maintenant je comprends mieux. Tu t'es saoulé une fois de plus. Et tu lui as dit quoi à cet imbécile d'Ignace ?

Fidèle baisse le visage, fronce les sourcils tout en se grattant la tête. Il ne se souvient plus de rien. Pour faire bonne figure, il tente de raconter ce qui lui passe par la tête.

— Ben, j'ai parlé de toi, enfin de ta relation particulière avec Ignace.

— Et ?

— Euh, c'est clair, il ne t'embêtera plus. Il s'excuse. Mais de grâce, si tu le vois, fais un détour pour ne pas tomber sur lui. Il considérerait cela comme une provocation de ta part.

— Ça, c'est sûr, je l'éviterai, comme je l'ai d'ailleurs déjà fait. Et puis quoi encore ?

— Rien d'autre. On a fait la paix et bu une chopine de vin.

— Une ? Et avec une chopine, tu te trouves dans cet état ? Tu t'es vu ?

— Arrête maintenant ! J'ai réglé ton problème.

— Et ça t'a coûté combien ? enchaîne Catherine sur un ton intéressé, car tu as bien pris de l'argent dans la boîte. J'ai vérifié.

— Euh, je réfléchis. Ça doit être un franc ou un franc vingt, je crois.

— Tu crois ! Un franc vingt ! Tu sais qu'avec cette somme, on aurait pu acheter une livre de viande de vache ? Mais non, monsieur préfère se saouler ! Je vais t'expliquer maintenant comment tu es rentré hier soir. C'est le voisin, Martin Guldenfels, le tisserand, celui qui habite à côté de Nicolas Schueller, le forgeron, c'est lui qui t'a trouvé couché sur le bas-côté du chemin de l'Ill. Tu étais étalé dans l'herbe et tu ronflais comme un bœuf ! C'est d'ailleurs grâce à ça qu'il t'a remarqué.

— Moi ? Ronfler le long du chemin de l'Ill ? Cela m'étonne !

— Tais-toi ! Il t'a mis dans la brouette et il t'a ramené jusqu'ici dans un état pitoyable.

Fidèle, à court d'arguments, choisit, une nouvelle fois, de battre en retraite. Il sort de la cuisine, traverse le couloir et gagne l'atelier où Antoine s'affaire sur son tour. Il ne le salue pas. Sonné par les réprimandes de sa femme, il essaie de faire le vide dans sa tête. Il marche en rond sous l'œil amusé d'Antoine.

Sans un mot, il saisit quelques pièces de vaisselle, prêtes à être enfournées, les soupèse, les scrute sous tous les angles pour les reposer ensuite, sans émettre un quelconque commentaire. Il ne cesse de gesticuler dans tous les sens ne sachant que faire. Il n'a ni l'envie ni l'énergie pour travailler.

Antoine, à force de le voir ainsi, désemparé et désorienté, se décide finalement de lui adresser la parole :

— Il paraît que tu en tenais une bonne hier soir.

— Ta gueule ! Occupe-toi de tes colombins !

— Désolé, mais je ne voulais pas rajouter une seconde couche après celle de ta femme.

— Ça, ce sont mes oignons !

— Tu vois qu'elle est mauvaise avec toi. Et avec d'autres aussi d'ailleurs ! Ah si seulement elle n'était plus là. Cela conviendrait à pas mal de monde, et à nous également. N'est-ce pas Fidèle ?

— Arrête ! Ne recommence plus avec tes pensées morbides ! C'est mon problème et non le tien.

Face à l'attitude butée de Fidèle, Antoine renonce à poursuivre la discussion, persuadé que ce n'est pas le bon moment pour le harceler davantage. Il se retourne et attaque le pétrissage de la boule d'argile qu'il tient dans ses mains.

À quelques distances de là, Ignace Lammert fait sa tournée sur le ban communal. Il est très fier quand il est coiffé de son képi. Il devient dès lors un nouveau personnage et instinctivement change son caractère. Cette mutation jouissive le sublime à chaque occasion. « La loi, c'est la loi ! » se plaît-il à répéter. Dans la fougue de son tempérament, il arrive à outrepasser ses prérogatives. Il provoque alors des situations complexes que seul le maire, Dangel, peut dénouer. Plusieurs fois, rappelé à l'ordre par sa hiérarchie, Ignace Lammert fait, à maintes reprises, acte de contrition. Mais à certains moments, il lui est difficile de calmer ses ardeurs. Dès qu'il voit un quidam se promener dans les champs ou dans les prés, il se sent dans l'obligation de l'interpeller sans ménagement. Il aperçoit des voleurs partout.

Comme à son habitude, il fait sa tournée à pied. Vu sa corpulence et sa condition physique, il craint de monter à cheval. Il passe sa journée sur le lieu-dit : Kleine Sanct Johannesfeld. Il constate que le lit de l'Ill est quasiment à sec et qu'il peut franchir le gué pour accéder au Vogelgesang. Il revient ensuite par le Westerfeld en passant à l'arrière de la maison des Kistler, tout en longeant la tuilerie. Par cette chaleur accablante du mois de juillet, la tournée devient pénible.

Ignace n'a qu'une hâte : se rendre à l'auberge chez Nicolas Peter sur la place de l'Église. Il a, dans un premier réflexe, l'intention d'aller prendre des nouvelles de Fidèle. Mais il y renonce très vite. La présence de Catherine le démotive. Moins il la voit, mieux il se porte. Il s'arrête quelques instants à l'ombre d'un acacia en fleurs pour souffler un peu et éponger la sueur qui ruisselle sur son front.

Le ciel commence à s'assombrir, un orage s'annonce. Ignace reprend son chemin en accélérant le pas et arrive bientôt à l'auberge chez Nicolas Peter. À peine a-t-il franchi la porte de l'établissement, qu'un grand coup de tonnerre gronde à travers les gros nuages noirs qui se sont amoncelés au-dessus des toits de la ville. L'averse lâche des trombes d'eau, gonflant les rigoles en formant d'immenses flaques sur la voie publique. Ignace l'a échappé belle. Il s'installe à une table et commande une chope de bière fabriquée par la brasserie locale d'Antoine Schmitt. Il étanche sa soif d'un seul trait. Puis il laisse fuir un énorme et bruyant rot qui surprend les quelques clients accoudés au comptoir. Il demande à Marie Anne Wermelinger, la jeune servante qui officie en salle, un second bock qui connaît le même sort que le précédent. François Moreau, le gardien-chef de la prison, est attablé avec Jacques Clauss, le portier. Ils boivent ensemble un demi de vin blanc lorsque Ignace Lammert les interpelle sur un ton espiègle :

— Ils ne crèvent pas de chaud vos taulards ? Ils sont bien protégés, je crois, entre les vieux murs épais des geôles. Il doit bien faire frais. Non ? Ce n'est pas comme nous. Hein ? Nous, nous sommes obligés de nous prémunir de la chaleur en recherchant l'ombre et en nous réhydratant régulièrement ! Ha ha ha !

— Tu racontes n'importe quoi, réplique François Moreau. Je voudrais bien t'y voir dans une cellule à quatre voire cinq détenus ! Ça chauffe aussi ! Ha ! Ha !

— Ici, on peut boire une bonne carafe de vin blanc bien frais, alors qu'en face, derrière ces hauts murs, tu n'as que de l'eau et là encore pour la fraîcheur, tu repasseras ! renchérit Jacques Clauss en portant, avec délectation, son verre à la bouche.

— Au fond, vous avez bien raison. Je ne voudrais jamais me retrouver enfermé dans cette vieille prison, répond Ignace avec un rire gêné. C'est trop sinistre chez vous ! Allez, je vous paie une tournée, histoire de changer d'air, car là, vous me paraissez bien tristes avec vos mines de déterrés. Marie-Anne, sers-nous la même chose !

Sur la place, les ouvriers chargés d'évacuer les décombres du clocher ont dû interrompre leur travail et ont trouvé un refuge temporaire dans les écuries qui jouxtent le chantier. La reconstruction de l'édifice est prévue dans les prochains mois.

L'orage s'arrête d'un seul coup et la pluie cesse de tomber. Les oiseaux se remettent à gazouiller et les activités des femmes et des hommes reprennent. Le soleil réapparaît et assèche la chaussée.

Le chien d'Antoine Ruch, le tailleur d'habits de la rue des Clés, s'est une nouvelle fois enfui en passant à travers la clôture en bois de son maître. Bien qu'inoffensif, il sème néanmoins la panique un peu partout. Tout en aboyant comme un fou, il pourchasse les pigeons qui le narguent et tente de pénétrer dans les enclos pour se saisir des poules qui caquettent allègrement. Leurs propriétaires, alertés par le vacarme, accourent munis d'un bâton pour chasser l'intrus.

Les journées se déroulent ainsi dans la petite localité d'Ensisheim où règnent habituellement le calme et la tranquillité. C'est un bonheur d'écouter le bruit des attelages qui s'en vont aux champs, de sentir les odeurs des étables et du bétail, d'observer les oies folles qui cacardent derrière une haie, de percevoir le doux vrombissement des abeilles qui butinent les fleurs d'acacias. Plus loin, les émanations de la savonnerie se mêlent au fumet d'un bon plat qui mijote sur une cuisinière à bois.

Ignace Lammert, après avoir pris congé des deux acolytes rencontrés à l'auberge Peter, décide de rentrer chez lui. Il est midi révolu et sa femme Marie-Anne l'attend pour passer à table. Ils ne sont plus que deux à habiter dans leur petite maison située dans l'impasse du « Siesswinkel ». Les deux enfants qu'ils avaient élevés ont quitté le foyer pour fonder leur propre famille.

Aux déjeuners, les Lammert ne se parlent pas, peu ou très rarement. Comme Ignace a le vin mauvais, sa femme Marie-Anne évite toute discussion qui pourrait envenimer l'atmosphère. Le caractère d'Ignace s'est endurci au cours de son adolescence. Son père, Louis, laboureur de son état, a épousé Marie-Anne Kauffmann le 9 mars 1773. Elle avait vingt-deux ans, lui, dix ans de plus. Elle lui a donné huit enfants. Malheureusement, le dernier n'a pas survécu. Il décède l'année de la Révolution française, le 8 décembre 1789, quelques heures après sa naissance. Trois jours après, le 11 décembre, sans doute à la suite de complications successivement dues à un accouchement pénible, la mère s'éteint à son tour, dans d'effroyables souffrances, à l'âge de trente-huit ans. Cette terrible issue perturbe le papa d'Ignace. Il se trouve avec sept bouches à nourrir. Le premier-né, Joseph, a seize ans, le plus jeune, deux ans. Pour les deux premiers, cela ne fait aucun doute, ils vont aider le père dans les champs. L'aînée des filles, Marie-Anne, onze ans et sa petite sœur, Catherine, sept ans, s'occupent du ménage. Mais élever cette grande fratrie n'est pas évident. Le veuf se doit de trouver rapidement une autre compagne. C'est ce qu'il fait deux mois après le décès de sa femme. Il épouse la jeune Agathe Dischert, âgée de vingt-deux ans, alors que lui en a quarante-neuf.

Cette nouvelle union connaît la même prolificité, puisque six enfants voient le jour entre 1790 et 1803. Pour Ignace, c'est en 1795.

C'est ainsi qu'Ignace vit dans ce foyer de seize enfants où il doit s'imposer. Comme dans toutes les familles recomposées, des conflits éclatent entre les gamins issus de lits différents. Il faut sévir pour y mettre un terme. Le père punit une fois qu'il rentre des champs. Les garçons, dès qu'ils peuvent tenir une pioche ou une bêche, sont affectés aux rudes travaux agricoles. Les filles secondent la mère ou belle-mère aux tâches ménagères et au nettoyage de l'étable. Elles s'occupent des deux vaches qu'elles font pâturer dans les prés la journée, et du fanage pour avoir un foin bien sec. Le soir, les bêtes sont ramenées à l'étable, prêtes pour la traite. La famille, qui possède une grande propriété, vit convenablement et arrive à se nourrir et à subvenir à ses besoins. Le père, Louis, est un notable. Il siège aux séances de la municipalité.

La nuit tombante, les aînés des garçons dorment dans une petite pièce au-dessus de la grange, sur des grabats avec des sacs rembourrés de paille. Les autres membres s'entassent dans la cuisine, pour une partie, et dans la chambre des parents, sur des couches recouvertes de grandes pièces de tissus, pour les plus jeunes.

Malheureusement, Ignace souffre encore et en silence, des cicatrices laissées par la Terreur, fruit de la Révolution française. Ses parents étaient fortement perturbés par cette période et les enfants ont subi par la suite une éducation sévère. Lui n'a pas vécu toutes les étapes de cette triste époque, mais il en a gardé des séquelles. À ce moment de l'histoire, il était interdit de converser en dialecte alsacien, la langue maternelle. Une grande animosité existait entre les Alsaciens et les « français venus de l'intérieur » comme en atteste une dénonciation faite au président du comité révolutionnaire « *qu'on avait refusé à souper et à coucher au citoyen Garnerin sous prétexte qu'il est français, c'est-à-dire qu'il ne parle pas allemand et que par conséquent il ne paierait pas en argent. Le président d'un comité a dit à ce citoyen qu'il attendait la loi officiellement pour faire arrêter les gens suspects.* »

La Terreur frappe également les membres de la municipalité d'Ensisheim contre lesquels un mandat d'arrêt est signé par Robespierre et Billaud-Varenne en 1794. La police du comité du salut public avait signalé à Robespierre les faits suivants : « *Les prêtres sujets à la déportation se promènent à ce qu'on assure, dans cette ville. Le président du comité révolutionnaire, ivrogne et débauché, a chez lui un ci-devant jésuite qui lui a donné son bien pour le soustraire à la confiscation.* »

À la lecture de ce rapport, Robespierre déclare : « *Arrêter les membres composant la municipalité d'Ensisheim ; arrêter les émigrés et prêtres sujets à la déportation de ce pays, ainsi que le jésuite et le président du comité révolutionnaire indiqué dans l'article.*

Fait le 9 messidor. »

La République tente d'imposer la Constitution civile du clergé, dès 1790, alors que l'Alsace demeure très attachée à son église traditionnelle. En 1791, Louis Lammert qui refuse de siéger au conseil, malgré la réquisition du maire, François Dernois, démissionnera tout comme un bon nombre de conseillers.

Robespierre est guillotiné en 1794, un an avant la naissance d'Ignace. Les stigmates de la Terreur restent néanmoins très présents dans les esprits. Et cela cuirasse les caractères.

Tous ces souvenirs s'entrechoquent dans la tête d'Ignace. Il y pense sans cesse. Il sait qu'il est devenu un être bourru, un ours. Il ne doit de reconnaissance à personne. Il n'en a pas reçu non plus. Son évasion, ce sont les champs, les prés, les rivières, les forêts. C'est là qu'il se sent le mieux, qu'il revit, qu'il devient quelqu'un. Un homme respectable et respecté.

Catherine saisit sa faucille et un grand drap qu'elle jette sur son épaule. Il sert de baluchon pour transporter l'herbe qu'elle coupe et qu'elle ramasse. Pour aiguiser la serpe, elle emporte une pierre humide qu'elle met dans un coffin en bois rempli d'eau vinaigrée qu'elle noue à sa ceinture. Son mari a auparavant pris le soin de frapper le fil de la lame sur son banc de battage pour enlever les bosses.

Elle se coiffe d'un vieux chapeau de paille, orné d'un ruban vert défraîchi, pour se protéger du soleil, puis s'en va, le dos voûté en s'aidant de son inséparable bâton. Malgré l'insistance de Fidèle, elle refuse d'utiliser sa charrette, car elle pense pouvoir traverser le gué de la rivière, à la hauteur des prés du Grundboden. La charrette l'en empêche.

Au domaine Saint-Jean, les paysans s'affairent en battant le blé à l'intérieur de la grange à l'abri d'un orage fortuit. On entend au loin le bruit saccadé des fléaux qui écrasent les gerbes pour séparer les grains d'autres végétaux restés accrochés lors de la récolte. Deux propriétaires se partagent l'endroit. Chacun a sa bâtisse et ses dépendances. Ils se répartissent la cour intérieure. À l'entrée, sur la droite et le long du chemin de Battenheim, le premier bâtiment est occupé par Jean Rumbach, quarante-huit ans, et sa femme Madeleine Vogel, quarante-quatre ans. Les parents de Madeleine habitent avec eux. Ils emploient un domestique, Casimir Schwaeblé et une jeune employée de maison, Elisabeth Bauer.

Le second corps de ferme, situé plus en retrait et sur la gauche, est exploité par Ferdinand Haebig, quarante-cinq ans, et sa sœur Catherine, d'un an sa cadette. Ils ont trois domestiques, Joseph Davaniroz, Jean Rietti, Joseph Loritz ainsi qu'une servante de dix-huit ans, Thérèse Bixel.

Plus loin au sud de la ville, la ferme Saint-Georges est dirigée par Michel Lauber, trente-huit ans. Il a embauché six domestiques et un garde particulier, Joseph Miesch, cinquante-quatre ans. L'ensemble du personnel occupe les dépendances de la ferme. Dans la cour, après le battage, les ouvriers séparent la paille à la fourche puis effectuent le vannage au crible. Un épais nuage de poussière s'élève et virevolte au gré des caprices du vent. La paille et les saletés soulevées collent sur les visages moites des hommes les rendant totalement méconnaissables. L'exercice est long et pénible. Pour se rafraîchir, ils puisent de l'eau au puits qui trône au milieu de la cour.

Ils s'en versent sur la tête, et en avalent de grandes gorgées avant de reprendre leur travail épuisant.

Fidèle Kistler, dans son atelier, décore une assiette au pinceau. Sa main tremblante a bien du mal à être contrôlée pour remplir les motifs de couleurs sans dépasser. La concentration ne suffit pas. Il en conclut que pour lui, quoi qu'il fasse, la vieillesse est bien présente et qu'il ne retrouvera plus jamais ni la dextérité de ses doigts ni la maîtrise de son art qui faisait son bonheur autrefois.

Antoine, son ouvrier potier, est parti avec une charrette tirée par le cheval de Catherine, au bord de l'Ill, à quelques pas de la tuilerie. Muni d'une pelle carrée, il découpe de belles mottes de terre forte en vérifiant bien qu'elles ne contiennent pas trop de sable. Il les manipule pour juger le grain, la viscosité, la plasticité ou la pellicule résiduelle restée sur ses doigts. Il les entasse ensuite sur le tombereau et quand ce dernier est bien chargé, il retourne à l'atelier.

La poterie Kistler a obtenu de la ville, tout comme la tuilerie de Laurent Blosser, un droit d'extraction de terre argileuse dans un périmètre bien défini et sous le contrôle d'Ignace Lammert, le garde champêtre. Antoine est doué pour reconnaître les bons emplacements où il a la certitude de trouver de la glaise. Pour cela, il repère des endroits humides dans des zones sèches.

Catherine est rentrée plus tôt que prévu. Elle n'a pas eu la force de traverser le gué de l'Ill, car elle a redouté de glisser sur les galets mouillés. Néanmoins, son baluchon est bourré d'herbes parfumées fraîchement coupées. Elle répand le tout dans la mangeoire réservée au cheval avec une fourche à foin et remplit l'auge avec l'eau qu'elle tire du puits. Elle en profite pour en boire une bonne rasade avec le gobelet en bois qui traîne sur la margelle. Fidèle, qui l'a entendue arriver, sort de la maison et se dirige vers elle.

— Alors tu as rencontré Ignace Lammert ?

— Oui et non. Je l'ai observé de loin, près de la rivière, rétorque-t-elle encore tout essoufflée.

Après avoir pris une respiration normale, elle rajoute :

— Je crois qu'il ne m'a pas vue. J'ai vite ramassé l'herbe et j'ai fait demi-tour. Là, je suis fatiguée, je vais m'étendre un peu sur le lit.

Chapitre 4

La place de l'Église est le centre névralgique de la ville, le cœur de toutes les réjouissances publiques, mais aussi de tous les horribles drames qui ont marqué les époques. L'histoire ne se refait plus, elle est là, présente, sans complaisance et pour l'éternité.

Parmi les tragédies les plus épouvantables, figure en bon rang et sans conteste la période funeste de la sorcellerie qui a alimenté bon nombre de bûchers pour se débarrasser de pauvres gens, victimes de commérages et de ragots malveillants.

Catherine y pense chaque fois qu'elle traverse la place, c'est elle la sorcière locale. Elle s'en défend. Elle sait que si elle avait vécu au 15e siècle, elle trépassait, sans aucun doute, sur le bûcher, de la place, comme Maria Wurtzler, en 1598, ou Élisabeth Schlosser en 1614 et bien d'autres encore. On lui prête tous les malheurs qui s'abattent dans les demeures, du décès subit d'un enfant aux maladies qui terrassent le paysan et le bétail. Les champs n'étant plus labourés ni ensemencés, la famine guette. La grêle, l'orage relèvent aussi d'actes maléfiques attribués à Catherine. Mais au fond, elle n'en a cure. L'âge l'a endurcie, elle tient bon.

Et puis son mari, Fidèle, n'a jamais cru aux sorts jetés par sa femme. Il la protège et la défend.

Le curé Apollinaire Freyburger est également sourd à ces rumeurs infondées. Il la considère comme une simple chrétienne malgré ses absences aux offices. Quand il la rencontre, par hasard au coin d'une rue, il la sermonne avec véhémence et l'invite à s'approcher davantage de Dieu par la prière et par des actes de piété. Il insiste longuement sur l'importance de la confession qui permet le pardon. Vu son âge, l'échéance est proche, la mort guette. Et, le jour où le Seigneur l'appellera à ses côtés, il faudra bien qu'elle soit lavée de tous ses péchés.

— Je viendrai, ne vous inquiétez pas Monsieur le Curé. Dès que je sentirai venir la fin, je vous ferai signe. Mais rassurez-vous, ce n'est pas pour demain. Je suis encore bien sur cette terre et pas prête à faire le grand saut !

— Ne vous emballez pas Catherine. La mort peut arriver à tout instant, sans prévenir, tout doucement ou subitement. N'oubliez pas Catherine, si vous changez d'avis, ma porte reste grande ouverte.

— Merci Monsieur le Curé. J'y penserai.

De l'autre côté de la place, Isaac Ginspurg, le boucher, s'active pour livrer à la savonnerie Ferdinand Mann, les gras de cuisson et de boucherie qui serviront à la confection de savonnettes.

Quant à Jean-Baptiste Dangel, qui passe par là, il se démène entre ses malades et la mairie. Pour aller plus vite, il utilise un cabriolet à deux roues tiré par un cheval. C'est un moyen de locomotion pratique, élégant et muni d'une capote repliable. On l'entend arriver au son des claquements de fouet.

Les enfants se précipitent sur la place en criant et en se cachant derrière les arbres. Ils s'amusent avec des armes en bois fabriquées grâce à leur féconde imagination. Louis Deninger, le sergent de ville, a beau les mettre en garde sur les risques qu'ils encourent en se lançant les flèches confectionnées dans le bois d'acacia, mais rien n'y fait. Au contraire, cela les stimule et ils filent sous les arcades avec une rapidité qu'elle laisse sur place un Louis pantois et estomaqué par le manque de considération et par l'insolence de ces jeunes. Il les connaît presque tous et il avisera leurs parents.

Comme à son habitude, Ignace Lammert, coiffé de son respectable képi, est attablé à l'auberge de Joseph Sommerhalter, dans la Grand-rue. Il converse avec Joseph Muller et Martin Guldenfels, deux ouvriers tisserands.

— Tiens, hier j'ai aperçu la folle dans les prés du Grundboden, s'exclame Ignace.

— La folle ? Tu veux dire la Kistler, la Catherine ? interroge Martin Guldenfels.

— Oui, bien sûr. Tu en vois une autre ?

— Ben non, mais tu as aussi la Catherine de l'hospice. L'idiote du village.

— Effectivement, mais celle-là, je ne l'ai encore jamais vue là-bas, réplique Ignace.

— Et alors ? Que s'est-il passé ? demande Joseph Muller.

— Rien. Mais ça ne saurait tarder si cette vieille folle n'arrête pas de me narguer en passant outre mes avertissements. Je lui ai interdit de faucher l'herbe au Grundboden. Ce sont des prés privés. Mais dès que je tourne le dos, elle en profite. Et alors, elle a le culot de se plaindre auprès du maire ! C'est honteux !

— Tu n'as qu'à la surprendre ! suggère Joseph Muller, l'œil rivé sur son ballon de vin blanc. Tu te caches derrière les roseaux, tu attends, et dès qu'elle s'approche, tu la prends en flagrant délit.

— Et après, j'en fais quoi ? C'est une garce, je vous le dis ! Je ne veux pas avoir les propriétaires sur le dos et tout retombera sur moi. Je fais mon travail correctement.

C'est la hantise d'Ignace, car, les gardes champêtres sont responsables des dommages causés dans le cas où ils négligeraient de faire, dans les vingt-quatre heures, le rapport des délits. Selon les dégâts relevés, l'amende pour préjudice peut s'élever à 150 francs, soit le salaire mensuel d'un ouvrier charpentier.

— Vous croyez, vous deux, que j'ai les moyens pour rembourser les victimes si elles saisissent Meyer, le juge de paix ? Je ne veux courir aucun risque.

— Mais, tu l'attrapes et tu la traînes chez le maire ! ajoute Joseph Muller. Il sera bien obligé de réagir !

— Tu as peut-être raison. Je vais sérieusement réfléchir à ton idée. Le traquenard... Ça peut fonctionner. Après l'avoir surprise, je n'ai plus qu'à l'emmener à la mairie pour rédiger le procès-verbal, et hop le problème est réglé. L'herbe du Grundboden lui coûtera cher et l'on ne pourra rien contre moi !

Il est soulagé. Il a désormais une solution qui lui paraît la bonne. Il ne lui reste plus qu'à trouver un bosquet assez touffu pour être à l'affût, comme pour traquer le gibier et ensuite, agir dès que la proie se trouve à proximité. Elle ne pourra plus rien nier. Ça lui servira de leçon.

Il se lève, réajuste le képi sur la tête et tout en se dirigeant vers la porte, il lance au tenancier :

— Mets-leur encore un verre, c'est ma tournée ! Je repasserai comme d'habitude pour te la régler !

Ignace a l'habitude de laisser des ardoises chez les cafetiers. Mais, il s'en acquitte sans difficulté dès qu'il touche ses appointements des mains de Charles Breitel, le percepteur de la commune.

Fidèle balaye le sol jonché de fragments de terre durcie, tombés des tours. Antoine le regarde avec compassion. Il observe ses gestes maladroits et hésitants. Il devrait s'arrêter de travailler, pense-t-il. Mais tant que sa femme Catherine est présente et a son mot à dire, le pauvre n'a pas trop le choix. Il ne peut pas abandonner son atelier sans trouver un repreneur. De quoi vivront-ils ?

Antoine en est convaincu, seule la disparition de Catherine peut permettre la vente de l'atelier de poterie à son profit. Le prix n'est pas un obstacle. Depuis des années, il a mis des francs de côté. Certes, cela ne suffit pas, mais il peut emprunter le reste auprès du notaire, Maître Halm. Il en touchera un mot à son clerc, Charles Hoffmeyer, un client, célibataire, qui passe régulièrement compléter la vaisselle de la famille de Jean-Baptiste Geiger qui lui loue une chambre. Charles ne cache pas qu'il a des vues sur Pauline Naegelin, la jeune et jolie servante des Geiger. Il attend l'instant opportun pour lui déclarer sa flamme.

Au fil des années, entre Charles Hoffmeyer et Antoine Fichter, se sont nouées de très bonnes relations. Ils se rencontrent souvent dans les auberges pour commenter les dernières nouvelles qui circulent en ville. Il pourra, le moment venu, appuyer et défendre sa demande de crédit auprès de son patron, Maître Halm.

Catherine reste le seul obstacle. Dès qu'il l'aperçoit, il est envahi par la haine. Une animosité indescriptible qui lui tord les tripes. Il voudrait la voir morte tellement il a la rage. Il arrache le balai des mains de Fidèle et lui dit :

— Tu devrais te reposer. Je finis le travail.

— Mais non ! Ça ira.

Après un court moment de réflexion, Fidèle s'assied en poussant un grand soupir. Il regarde ses doigts ankylosés qui le font souffrir. Il sait qu'il ne peut plus continuer ainsi. Catherine a beau lui faire des cataplasmes avec de la bouillie de sa fabrication qu'elle applique sur les mains entre deux linges. Rien n'y fait ! Les douleurs persistent et deviennent de plus en plus intenses.

— Tu devrais voir un médecin ! Va chez le docteur Knoll ou chez Dangel. Tu ne peux rester ainsi. Tu dois prendre des médicaments pour te soulager !

— Catherine ne sera pas d'accord.

— Tu t'en fous d'elle ! C'est toi qui souffres. Avec ses poudres et ses crèmes magiques qui ne servent à rien, l'état de tes doigts se dégrade. Réagis donc !

Fidèle s'enferme dans un long silence et baisse les yeux.

Ignace Lammert est déterminé à mettre fin aux provocations de Catherine. Il se rend sur les prés du Grundboden et inspecte les lieux. À proximité, l'Ill coule paisiblement. Son niveau est tellement bas qu'elle découvre, çà et là, des îlots de gros galets qui sèchent au soleil. Un couple de colverts s'ébroue sur la berge. Un héron cendré scrute l'eau, prêt à saisir un poisson avec la glande de sa patte, pour en faire son repas.

Il longe la rive vers un bosquet d'où s'échappe un jeune faisan effrayé. Le massif est suffisamment grand et touffu pour pouvoir cacher un homme de sa taille. Il s'installe derrière, se baisse et lorgne entre les branchages. L'endroit est idéal. De là, il verra Catherine arriver et faucher l'herbe avec sa serpette. Dès qu'elle sera à proximité du buisson, il surgira et la retiendra sans difficulté. Elle ne s'y attendra pas, la surprise sera totale. Il visualise les images qui se réalisent et qui deviennent de plus en plus nettes et précises. Elle devra laisser sur place tous les indices qui justifient l'établissement d'un procès-verbal, à savoir, le drap qui sert à confectionner le baluchon, la faucille, et l'herbe coupée. Comme il ne maîtrise pas la langue française, l'infraction sera rédigée à la mairie par le sergent de ville ou le secrétaire.

Dans sa tête, tout paraît logique et le déroulement bien ordonné. Il ne reste plus qu'à agir.

Fidèle est assis sur son banc en bois devant la maison, les mains bandées. L'onguent que Catherine lui a appliqué le soulage. Mais cela ne va pas durer, la douleur se réveillera bientôt. C'est le résultat de plus de cinquante années de travail passées à façonner de la terre argileuse, les mains constamment mouillées. Heureusement qu'Antoine est présent et fait fonctionner l'atelier. Il persiste à lui transmettre le flambeau malgré l'opposition de Catherine.

Il se lève, entre dans sa maison, traverse le couloir et sort à l'arrière, dans le jardinet. Il trouve Catherine qui à l'aide d'un râteau en bois, ramasse le foin qu'elle a séché en plein soleil.

— Catherine, j'ai à te parler.

— Oui. Qu'est-ce que tu veux ?

— Je ne me plains pas. Mais je ne peux et je ne veux plus continuer à travailler ainsi, annonce -t-il en lui montrant ses deux mains bandées.

— Si tu t'arrêtes, de quoi vivrons-nous ? Il n'est pas question de vendre quoi que ce soit ! Je te vois venir. Moi, je peux faire le marché et écouler les poteries qu'Antoine prépare si toi tu ne te sens plus capable !

— Et tu crois que tu feras ça encore longtemps, à ton âge ? Tu ne rajeunis pas ! Pour moi, c'est décidé, je vais chez le notaire. Je cède l'atelier à Antoine !

— Tu ne peux pas. Tu as besoin de mon accord.

— J'en doute. N'oublie pas que la loi me donne le droit de gérer nos biens et de vendre si besoin est, sans ton consentement ! Je vais voir Charles Hoffmeyer, le clerc de Maître Halm.

Fidèle est excédé par la réaction de Catherine. Il lui tourne le dos et gagne l'atelier où Antoine, dégoulinant de sueur, est occupé à vider le four dans une chaleur insoutenable.

— Antoine ! J'ai pris la décision. Je te propose d'acheter la poterie !

Surpris, Antoine n'en croit pas un seul mot.

— Si c'est une plaisanterie, je la trouve particulièrement de mauvais goût !

— Non, c'est sérieux. On conviendra d'un prix et l'on conclura devant le notaire. D'ailleurs, j'irai encore le voir cette semaine.

— Que s'est-il passé ? Tu as bu ?

— Rien du tout. J'ai toute ma tête ! Je n'ai rien avalé. Bon, il reste un problème à régler. Catherine, lors de notre mariage, a apporté une dot. Ça pourrait bien compliquer le projet. Mais, le notaire trouvera une solution, j'en suis persuadé.

Catherine qui, discrètement, l'a suivi a collé son oreille contre la porte de l'atelier. Elle a tout entendu. Elle est déterminée à ne pas se laisser faire. Elle se rend dans la chambre à coucher et dans un tiroir de la commode, sous une pile de linge blanc bien plié, elle saisit une grande enveloppe grise de laquelle elle extrait un papier officiel timbré. Elle ne sait pas lire, mais elle connaît bien le document. C'est l'acte concernant le versement de sa dot par ses parents. Elle servit, à l'époque du mariage, à créer la poterie. Elle prend la feuille et la glisse sous sa longue robe noire informe, à la hauteur de la ceinture et sort de la pièce.

Quelques instants après, Fidèle entre, à son tour, dans la chambre à coucher et ouvre le tiroir de la commode. Il soulève la pile de linge et y trouve l'enveloppe. Mais à sa grande stupeur, il constate que l'acte a disparu.

— C'est un coup de la Catherine, grommelle-t-il, furieux.

Il remet tout en place et s'en va ruminer dans la cuisine.

Le lendemain matin, Fidèle quitte la maison sans rien dire à personne. Il longe l'Ill, traverse le pont et s'engage dans la Grand-rue qui est déjà bien animée. Il se dirige vers l'Étude de Maître Halm dans l'espoir d'être reçu par ce dernier. Chez le notaire, c'est Charles Hoffmeyer, le clerc qui l'accueille. Le potier lui expose son affaire et notamment l'opposition de Catherine à la vente de son atelier. Il lui montre ses mains abîmées et lui explique qu'il envisage d'arrêter son métier.

Le bureau d'Hoffmeyer et triste. Une lampe à huile brûle en permanence, car la lumière du jour a du mal à pénétrer. Seules deux petites fenêtres, donnant sur la rue, laissent passer quelques rares rayons de soleil. Tout autour de la pièce, on voit que des armoires en bois sombre et du mobilier de classement sur lequel s'entassent des piles d'archives. Une horloge murale égrène les demi-heures. Il y flotte une odeur de cire, de papier et d'encre. Les sièges, garnis de tissus aux couleurs défraîchies, grincent au moindre mouvement. Sur son bureau, Hoffmeyer dispose d'un vieux sous-main en cuir très usé et taché. À droite, on trouve un encrier en verre et à gauche, des dossiers empilés qui attendent leur traitement ou leur classement.

Hoffmeyer prend sa plume préalablement trempée dans l'encrier et une feuille de papier sur laquelle il couche quelques annotations. Puis il s'adresse à Fidèle assis face à lui.

— Je comprends vos soucis. Avez-vous déjà un potentiel repreneur ?

— Oui, je souhaite vendre à mon ouvrier Antoine Fichter. Il est prêt à acheter, mais il doit négocier un emprunt chez vous ou chez un usurier. Enfin, c'est à lui de voir avec vous.

— Bien, qu'il passe à l'Étude. Quant à votre femme, elle n'a aucun droit à s'opposer à la transaction. Je vous rappelle que, selon les dispositions en vigueur, seul le mari gère le patrimoine des époux. Il peut même aliéner les propriétés dont il jouit sans le consentement de madame, c'est la loi.

Fidèle se sent un peu rassuré, mais il ajoute :

— J'ai bien compris, mais j'ai un souci... Les beaux-parents, lors de notre union, ont apporté une contribution destinée à la création de la poterie.

— Ah ! Alors là, ça change tout, s'exclama Charles Hoffmeyer en déposant sa plume dans l'encrier. Avez-vous le contrat qui stipule l'existence d'une dot ?

— Oui, je l'avais.

— Vous l'aviez ?

— Oui. Je ne le trouve plus. Je suis persuadé que ma femme l'a subtilisé.

— De quand date-t-il ?

— Le contrat a été établi l'année de notre mariage en 1814 auprès du notaire de Rouffach.

— Vous devriez en récupérer une copie chez son successeur. Sans ce document, je ne peux rien faire, car, s'il est mentionné que la dotation est affectée à l'installation de l'atelier de poterie, l'accord de votre conjointe est indispensable. Le plus simple serait de la raisonner.

— Vous ne la connaissez pas, elle est têtue comme une bourrique. Elle serait peut-être d'accord pour vendre, mais pas à Antoine. Les deux ne se supportent pas. Ils vivent comme chien et chat.

— Alors, trouvez un autre acheteur !

— Ce n'est pas correct vis-à-vis d'Antoine qui travaille avec moi depuis de longues années. De plus, il habite dans la même maison. Il réside sur place. Et puis, je devrais retrouver un artisan-potier sachant œuvrer et perpétuer notre savoir-faire. Ce n'est pas si simple.

— Dans la présente situation, j'ai le regret de vous dire que je ne peux rien pour vous.

Subitement, le clerc se lève obligeant Fidèle à en faire de même. Il le conduit vers la porte de son bureau. En lui tendant la main, il lui rappelle qu'il serait toujours à sa disposition si l'affaire devait évoluer favorablement. Fidèle le remercie et s'en va tout en réajustant sa casquette sur la tête.

Sur le chemin du retour, Fidèle rumine. Même s'il devait retrouver l'acte, cela ne sert à rien. Il connaît pertinemment ce qu'il contient et il ne se fait guère d'illusion pour la suite. Quelque peu déçu, il entre dans l'auberge de Simon Tschupp et s'envoie une chopine de vin blanc bien frais, histoire de se consoler, faute de mieux.

La tuilerie de Laurent Blosser, voisine de l'atelier des Kistler, tourne à fond à cette période de l'année. Elle fournit les matériaux indispensables aux nombreux chantiers en cours. Ainsi elle fabrique non seulement des tuiles, mais également des briques et de la chaux. L'entreprise, tout comme la poterie, s'est implantée à proximité des gisements de terre adaptée à son exploitation. Les ouvriers occupent, pour certains d'entre eux, un emploi saisonnier lié au séchage nécessaire de la marchandise qui ne peut se faire en temps de gel. En hiver, les travailleurs, qui restent en permanence, sont chargés à extraire la terre.

Les jours de livraison des matériaux, le chemin le long de l'Ill qui mène à la tuilerie est encombré de tombereaux tirés par des chevaux et des brouettes de chantiers poussées par des journaliers embauchés temporairement pour des tâches de maçonnerie.

Entre deux fournées, dès qu'il a un moment, Laurent se rend chez Fidèle pour s'assurer de sa santé.

Fidèle est rentré de chez le notaire, l'air soucieux et le visage rouge. La chaleur, alliée au vin qu'il a bu, a eu raison de son teint habituellement terne. Il va à la rencontre de Laurent Blosser qu'il a vu arriver par le jardin.

— Salut Laurent ! Comment vas-tu ?

— Bien, et toi ?

— Pas terrible. Catherine me fait des misères. Elle m'empêche toujours de vendre l'atelier à Antoine.

— Comment ça, elle refuse ? Ce n'est pas à elle de décider !

— Hélas, si. Je reviens de chez Maître Halm. J'ai vu Charles Hoffmeyer, son clerc.

— Et ?

— Et il m'a confirmé que s'agissant d'une dot reçue des beaux-parents le jour de notre mariage, pour la création de la poterie, la signature de Catherine est indispensable. En plus, je ne retrouve même plus le contrat. Je crois qu'elle l'a pris.

— Et Antoine, il en dit quoi ?

— Il n'est pas content et je le comprends bien. J'évite de lui en parler. Il n'ignore pas que c'est elle qui empêche la vente. Je crains qu'il plaque tout et ouvre une poterie ailleurs.

— Ce serait une catastrophe pour toi ! Si tu le souhaites, je peux en toucher un mot à Catherine. Je sais qu'elle ne m'apprécie pas trop, mais pour toi je veux bien essayer.

— Je la vois arriver, réplique Fidèle en pointant son doigt vers la tuilerie, en direction de Catherine. Je te laisse. Je vais à l'atelier.

Antoine attend avec impatience l'apparition de Fidèle. Il est en train de façonner un grand vase commandé par la famille Mossmann.

— Alors Fidèle, qu'envisages-tu maintenant ? As-tu récupéré l'acte notarié ?

— Non et je pense que je ne le retrouverai jamais. Elle l'a bien caché.

— Ce n'est pas vrai ! s'exclame Antoine. C'est terrible la façon qu'a cette ignoble bonne femme pour pourrir la vie des gens ! J'ai envie de la secouer !

— N'en fais rien ! Laurent s'est proposé d'intervenir auprès d'elle et d'essayer de la faire changer d'avis. Je n'y crois guère, mais, enfin, on aura tout tenté.

— Moi je ne vois qu'une solution... ou deux. Soit elle dégage, soit ce sera moi. Dans ce cas, vous vous retrouverez seuls. Toi, tu ne pourras plus travailler et elle, cette sorcière, elle n'aura plus rien à mettre dans sa charrette pour vendre au marché. Vous aurez bonne mine et vous deviendrez la risée d'Ensisheim !

Fidèle caresse sa moustache grise, l'air songeur. Il existe encore une petite et ultime chance avec Laurent Blosser, car il est réputé pour son esprit conciliant et ouvert.

L'attente est longue. Cela n'augure rien de bon, cogite Fidèle. Il observe Antoine qui, nerveusement, tourne sa pièce sans grande conviction. Antoine reparlera ce soir à sa femme, Anne-Marie, car il envisage sérieusement de quitter Fidèle dès qu'il aura une opportunité. Anne-Marie ne sera sûrement pas d'accord, elle est trop préoccupée par l'avenir de ses enfants. L'aîné, qui a dix-huit ans, guette sa conscription. En attendant, il passe son temps à conter fleurette aux filles du village. Il peut se débrouiller seul. En revanche, Marie, sa petite sœur, n'a que trois ans. Elle s'est déjà fait quelques camarades de jeu dans le quartier ouest. Un déménagement serait, pour elle, un véritable déchirement.

Au bout d'un long et interminable moment pour Fidèle, la porte de l'atelier s'ouvre enfin et Laurent Blosser apparaît l'air déconfit.

— Alors, chuchote Fidèle, d'après ta tête j'imagine que ton intervention n'a rien donné.

— C'est vrai. Rien ! Je la connaissais entêtée, mais à ce point-là ! Je suis désolé pour toi Fidèle et pour toi aussi, Antoine. Je pensais réellement que j'allais la convaincre, mais en fait, elle ne m'a même pas écouté. Quelle femme ! Sacrée Catherine !

— Merci, Laurent. Tiens, bois un canon quand même, répond Fidèle en lui tendant un verre.

D'un hochement de tête, il fait signe à Antoine de récupérer deux autres verres placés sur le rebord de la fenêtre. Il place un pichet sous un tonnelet qu'il a gardé derrière un tas de sciure à l'abri de la chaleur. Il ouvre ensuite la petite cannelle en bois et fait couler une piquette de mauvaise qualité. Des traces rouges aux commissures des lèvres témoignent de la lourdeur et de la particularité de la vinasse.

L'après-midi se passe ainsi. Un deuxième, puis un troisième pichet sont servis.

Chapitre 5

Antoine Fichter profite d'un après-midi calme pour aller voir son ancien ami avec qui il a toujours entretenu de très bonnes relations, Joseph Homma, dit Seppi. Il habite rue des Clés, dans une petite maison avec sa femme Thérèse, née Weber, et ses deux fillettes âgées de huit et six ans. À trente-quatre ans, il travaille comme veilleur de nuit pour le compte de la ville. Sa tâche consiste à faire des virées le soir et à visiter tous les bâtiments communaux. Lors de sa promenade, il lui arrive de ramasser des ivrognes, inanimés dans leur vomissure, et de les ramener à leur domicile dans une brouette de chantier. Ces cas extrêmes se déroulent principalement au cours de la période où les journaliers perçoivent leurs salaires. La première préoccupation des soiffards de service consiste alors à honorer l'ardoise qu'ils ont laissée chez l'aubergiste, depuis une bonne quinzaine de jours et, ensuite, de recommencer de plus belle pour une nouvelle série de tournées. Et si un cafetier refuse, ils vont chez un autre. Le problème est vite résolu.

Antoine entre dans la cour malgré la présence de Napi, le gros chien noir de Joseph. Il se dirige vers le molosse attaché à un anneau en fer scellé dans le mur de la maison. Ils se connaissent bien. Napi aboie de joie tout en remuant sa queue. Antoine lui passe la main sur le crâne, sur le museau et se laisse lécher à grands coups de langue.

Les jappements alertent Joseph qui se précipite dehors. En voyant Antoine, il s'exclame :

— Tiens, c'est toi ? C'est une heure inhabituelle pour une visite. J'ai failli faire une sieste, la nuit a été agitée.

Puis il se tourne vers Napi qui ne cesse de manifester sa joie de revoir Antoine.

— Allez, Napi, laisse Antoine tranquille !

— Tu m'excuseras pour l'heure. Mais le matin, tu récupères de la nuit et en soirée, tu te prépares pour ta tournée nocturne. Je n'ai donc pas beaucoup de choix pour te voir.

— Non, ce n'est pas grave ! Tu sais bien que tu es toujours le bienvenu chez moi. Ne restons pas au soleil. Entre, il fait bien plus frais à l'intérieur.

Ils s'attablent dans la cuisine où règne un joyeux désordre. Les deux enfants courent et chahutent tout en se taquinant. L'évier en pierre déborde de vaisselle à laver. Deux poules picorent des miettes qui traînent sur le sol en terre battue. Sur le grabat, près de l'unique fenêtre, somnole un gros chat roux. Le soir, ce sera aux fillettes d'y dormir.

— Thérèse est partie chercher du pain. Elle ne tardera pas à revenir. Qu'est-ce que je te sers ?

— S'il te reste encore du schnaps, j'en prendrai bien volontiers un verre.

Joseph se lève et se dirige vers un buffet bancal d'où il sort une bouteille qu'il pose sur la table. D'un geste, il balaye les miettes et autres restants du repas de midi. Les poules accourent et se font un festin en caquetant. Il cherche sur une étagère, deux verres, les remplit et s'installe face à Antoine.

— À la tienne Antoine !

— À la tienne Seppi ! répond Antoine.

En totale communion, ils lèvent le verre et d'un coup, avalent l'alcool blanc en claquant la langue au passage, en signe d'approbation.

— Alors, enchaîne Seppi, si tu es venu me voir c'est que tu en as gros sur le cœur. Non ?

— En quelque sorte oui, réplique Antoine en se grattant le front. Je cherche un atelier pour exercer mon métier.

— Tu envisages de te mettre à ton compte ?

— Oui, car là où je suis, j'étouffe. Entre une sorcière qui m'exaspère et un patron qui ne sait pas prendre de décisions, j'ai l'impression de travailler pour la lune. J'ai toujours pensé que Fidèle me céderait sa poterie contre une rente à vie. Mais, sa vieille ne veut rien écouter, elle s'y oppose de toutes ses forces.

— Et pourquoi ?

— Elle me reproche d'avoir attiré son homme dans des beuveries. Il est exact qu'il lui arrivait d'en tenir une... D'ailleurs moi aussi.

— C'est donc vrai ?

— Oui. Plus jeunes, on supportait beaucoup plus. Mais de là à tout me mettre sur le dos ! Je ne comprends pas.

— Et Fidèle, comment réagit-il à tout cela ?

— Plutôt mal. On a été brouillé un certain moment. Tout comme sa femme, il m'a accusé d'être la cause de son addiction à l'alcool. Bon, là, on se parle à nouveau, mais il ne veut plus me vendre la poterie. Tant que Catherine vivra, rien ne pourra se faire ! Il est temps qu'elle dégage !

— Je vois. Mais comment puis-je t'être utile ?

— Je n'en sais rien. Peut-être as-tu une idée ou un conseil à me donner.

Joseph fixe le mur face à lui et réfléchit longuement dans un interminable silence. Les fillettes ont quitté la pièce pour jouer dans la chambre des parents. Après avoir rempli une nouvelle fois les verres, il se lance :

— Trouver un local pour que tu t'y installes n'est pas évident par les temps qui courent. On doit plutôt la mettre hors d'état de nuire pour qu'elle n'ait plus son mot à dire !

— À quoi penses-tu ? rétorque Antoine, intéressé.

— Se débarrasser d'elle, tout simplement, pour te laisser le champ libre. Mais, comment faire ? On va y réfléchir sérieusement.

— Oui, l'idée est bonne. Finalement, ce n'est qu'une sorcière et, à une certaine époque, elle aurait fini sur le bûcher, là, sur la place de l'église !

— Tu ne vas, tout de même, pas lui ériger un bûcher ! s'exclame Seppi en laissant éclater un rire bruyant et gras.

Antoine s'esclaffe à son tour et Joseph lui donne un grand coup dans le dos comme pour sceller un pacte.

— On va réfléchir sur la manière de museler cette vipère. On trouvera.

— Oui, on se reverra. Je repasse te voir dans quelques jours, dès qu'on aura mûri un plan.

Après avoir vidé un ultime verre, Antoine se lève et, tout en serrant la main de Joseph, il lui dit :

— Merci Seppi. Je savais que je pouvais compter sur toi ! Salue la Thérèse de ma part !

Il se dirige vers la porte, sort de la maison, caresse une nouvelle fois Napi qui tire sur la corde et quitte les lieux en faisant un dernier signe de la main à Seppi.

Le dimanche matin, dans la Grand-rue, règne un doux silence parfois interrompu par le craquètement des cigognes nichées sur le toit de la maison ronde de la prison. Vers les huit heures, les premiers volets s'ouvrent et laissent apparaître, par ci et par là, des têtes hirsutes encore à moitié endormies et aux cheveux ébouriffés.

À neuf heures, des couples tirés à quatre épingles, accompagnés de leurs progénitures, s'en vont à la chapelle Saint Ehrard, imités par les petites vieilles vêtues de noir, le missel et le chapelet à la main. En attendant la reconstruction de l'église, les ouailles du Curé Apolinaire Freyburger se retrouvent dans la chapelle qui fait corps avec la prison, mais avec un accès direct par la Grand-rue.

Après l'office, les hommes s'entassent dans les cafés en fumant le cigare pour les plus nantis et la cigarette pour les prolétaires. Les femmes rentrent préparer le déjeuner du dimanche.

Vers onze heures, la rue s'embaume d'agréables odeurs de cuisine. Chaque fenêtre laisse échapper des effluves appétissants de *Suppapàschtella*, les bouchées à la reine, de *Flaischsuppa, les pot-au-*feu ou de *Hàsapfaffer*, civet de lièvre. Dans les familles plus modestes, une poule cuite à l'eau, accompagnée de quelques légumes du jardin, fait l'affaire.

Après le repas de midi servi autour d'une grande table, où trois voire quatre générations se côtoient, une courte promenade sur les vieux remparts est de circonstance pour éliminer tous les excès de sauces, de gras et de vin.

Antoine, sa femme, Anne-Marie, et la petite Marie de trois ans profitent de ce temps magnifique pour déambuler dans les rues. Ils rencontrent des amis, s'enquièrent de la santé de l'un ou de l'autre. Cependant, ils renoncent aux invitations à boire chez Nanette Cabossel, une aubergiste de la Grand-rue. Anne-Marie ne veut pas, car elle connaît bien les excès de son mari dès qu'on lui propose un verre. Elle préfère l'emmener sur les remparts. Antoine ne proteste pas. Il lui arrive à certains moments de se raisonner quelque peu. Et puis, la petite Marie a besoin de se ragaillardir après s'être débarrassée d'une toux tenace et inquiétante.

Pour ceux qui travaillent la terre ou qui élèvent du bétail, le dimanche s'arrête après le déjeuner de midi. Ils remettent alors leurs vieux habits râpés, chaussent leurs sabots, ajustent leur chapeau de paille et vont aux écuries ou à l'étable pour entretenir et abreuver les animaux. Le paysan est pauvre. Certains sont obligés de recourir au bureau de bienfaisance cantonal ou au comité d'aumône communal pour nourrir leur famille.

Demain, les paysans repartiront aux champs, avec femme et enfants, pour effectuer les dernières moissons de la saison. La vie reprendra le dessus, le boulanger derrière son fournil, le maréchal-ferrant dans sa forge, l'instituteur devant ses élèves, les femmes aux lavoirs. La petite ville qui se trouve dans sa léthargie dominicale se réveillera brusquement.

Ce lundi, Ignace Lammert achète un morceau de lard chez Ferdinand Welterlin puis il converse avec le ferblantier Denis Deybach qui martèle une pièce métallique devant son atelier. Il passe ensuite à la maison pour se couper une large tranche dans la poitrine fumée. Il la porte avidement à sa bouche avec une insatiable voracité en laissant la graisse couler en filets le long de son menton et sur sa chemise. Il n'en a cure. Quand il a fini, il enveloppe le reste de gras dans un chiffon et le met dans le buffet à l'abri de la vermine. Sa femme le regarde sans dire un mot.

Il réajuste avec soin son képi, sort de la maison pour aller vers le quartier Ouest. Entre la porte ouest et le pont, on a planté quelques arpents de vigne le long des berges. Ignace fait un tour pour chasser les jeunes qui courent et se cachent entre les ceps. Il revient sur ses pas et traverse la rivière pour prendre, sur sa gauche, le chemin de l'Ill. Il va voir Fidèle Kistler, car il aimerait bien savoir si Catherine a l'intention de se rendre prochainement sur les prés du Grundboden. Il a hâte de mettre son plan à exécution.

Il arrive devant la maison des Kistler et tend l'oreille. Il n'entend pas la Catherine. Elle ne doit pas être chez elle. Après quelques moments d'hésitation, il se décide à frapper à la porte de l'atelier.

Antoine lui ouvre et le fait entrer.

— Alors Fidèle, c'est bien calme chez toi. Catherine est là ?

— Non, répond Fidèle, tu voulais la voir ? Elle t'a encore causé des soucis ?

— Tu sais que depuis que je l'ai sermonnée, elle fait profil bas.

Ignace parcourt des yeux les poteries exposées sur les étagères fixées tout le long des murs.

— Beau travail !

— Bon, tu es arrivé ici pour admirer nos chefs-d'œuvre ou tu as quelque chose à me dire ?

— Non, rien de spécial. Je passe tout simplement. Je vais à la tuilerie et j'ai pensé que ça ne me coûte rien pour venir te saluer. C'est sur mon chemin.

— Tu as bien fait. Mais là, vois-tu, Antoine et moi, nous avons encore du travail à terminer pour ce soir.

— Désolé de vous avoir interrompus. Je vais vous laisser.

Il marche vers la porte, se ravise et revient sur ses pas.

— Ah, au fait, Catherine envisage-t-elle d'aller couper de l'herbe prochainement ?

— Oui bien sûr. Mais elle n'a pas l'intention de se rendre sur les prés du Grundboden, rassure-toi.

— C'est bien, je n'en doute pas. Et vendredi, elle va au marché ?

— Non. On n'a pas trop travaillé la semaine dernière. Tu as vu l'état de mes mains ! Elle ira le vendredi d'après. Elle aura de quoi remplir sa charrette.

— Donc, je suppose qu'elle ira faucher ce vendredi.

— Il y a de fortes chances, mais elle veut que je l'accompagne. Cela ne me plaît guère. On verra le moment venu.

— Allez, je vous laisse ! Bonne journée !

Jeudi, veille de l'événement qui va bouleverser la population entière d'Ensisheim, Ignace Lammert, sous prétexte de vouloir surprendre des braconniers qui auraient posé des pièges dans le Grundboden, marche vers la rive gauche de l'Ill. Du pré du Vogelgesang, il observe les prairies de l'autre côté de la rivière. Le soleil matinal gêne quelque peu sa vision. Il remonte son képi et se sert de sa main droite comme visière. Il essaie de discerner la configuration des lieux sous cet angle. Tout paraît bien et conforme à ce qu'il attend. L'endroit est isolé, à l'écart de la ville. C'est décidé, il agira demain vendredi.

À l'atelier, l'ambiance n'est pas au beau fixe. Antoine n'est pas d'humeur et râle sur tout ce qui l'entoure. Fidèle évite d'engager la conversation. Cela ne pourrait que nuire à leur relation déjà fortement compromise.

Catherine vient vérifier l'émaillage des biscuits avant qu'Antoine ne les ornemente au pinceau sur la glaçure crue en partant de la couleur la plus claire à la plus foncée. Les pièces sont cuites une seconde fois pour fixer l'émail et la décoration. Antoine considère cette visite inopinée comme une provocation de plus de Catherine.

— Tout ce que vous avez préparé là, ça ne me suffira pas demain pour le marché. Voilà le résultat de vos escapades dans les bistrots ! Moi j'essaie de gagner des sous et vous, vous les dépensez !

— Arrête Catherine, s'exclame Fidèle, énervé, si on n'a pas fait plus, c'est à cause de mes doigts qui me font horriblement souffrir !

— Et l'autre, répond-elle en montrant Antoine d'un hochement de la tête, il souffre aussi ?

Fou de rage, Antoine se saisit de l'assiette qu'il s'apprête à décorer et la lance avec force vers Catherine. Malgré son âge, elle a vu venir l'objet et, dans un réflexe défensif, elle se baisse au dernier moment. Le projectile se pulvérise contre le mur.

Fidèle a beau vouloir s'interposer, mais l'attaque a été subite et incontrôlable.

Catherine, blanche de colère, se redresse en fusillant Antoine d'un regard glacial.

— Tu me paieras ça ! Malheur à toi et ta famille ! hurle-t-elle les bras levés au ciel comme pour exhorter les esprits maléfiques.

— Catherine, sors d'ici maintenant et laisse-nous ! lance Fidèle, excédé par la scène qu'il vient de voir. Et toi, Antoine, je t'interdis de lever la main sur ma femme. Tu devrais avoir honte. Tu n'as donc plus aucun respect à l'égard d'une vieille ?

Catherine quitte les lieux en pestant quelques mots inaudibles.

— Ce n'est pas une vieille ! réplique Antoine, c'est une harpie qui ne nous veut que du mal. Dommage que je l'aie ratée !

— J'espère que tu iras t'excuser auprès d'elle. J'y tiens. Tu ne fais vraiment rien pour améliorer vos relations ! Ce n'est pas avec un comportement pareil que tu pourras racheter la poterie. Réfléchis un peu !

Antoine ne répond pas. Il se tourne et prend une nouvelle assiette, trempe son pinceau dans un bol de peinture et poursuit son travail de décoration.

Fidèle quitte l'atelier pour rejoindre Catherine à la cuisine.

Ignace Lammert traverse le gué de l'Ill et atteint les prés du Grundboden. Il rencontre Joseph Miesch, le garde particulier de la ferme Saint-Georges qui, comme à son habitude, tente d'intercepter les braconniers très nombreux en cette période. Il met beaucoup d'ardeur dans sa tâche. Pour tout délit de chasse constaté, il perçoit une gratification de dix francs. Cela correspond à deux journées de travail d'un maçon. Bien qu'il soit bien payé, ce travail nécessite en l'occurrence du courage et une bonne condition physique.

— Il me semble avoir aperçu un homme avec une gibecière courir vers la ville ! Tu n'as rien remarqué ? demande Joseph à Ignace.

— Non, je viens du Vogelgesang et de là-bas, avec le soleil rasant de ce matin qui m'a ébloui, je n'ai rien pu distinguer.

— D'après son apparence, il me semble reconnaître une personne de Battenheim. Mais je n'ai aucune preuve. Maintenant, va lui courir après ! À cette heure-ci, il doit déjà être en train de négocier le prix de son butin chez un boucher ou chez un autre client.

— Tu l'as filé jusqu'ici, depuis la ferme Saint-Georges ?

— Oui et là, j'arrête. Je suis épuisé. J'ignore si c'est bien le gaillard qui braconnait au Westerfeld tout à l'heure. Je pense que oui, car il courait dans tous les sens pour essayer de me semer. Et il a bien réussi, peste Joseph Miesch.

— Je rentre en ville. Tu dois avoir bien soif. Si tu veux, on peut aller boire un coup chez Sommerhalter.

— Très bonne idée, et comme il tient également une boucherie, je risque peut-être de rencontrer mon colleteur !

— Et une prime en plus ! ajoute Ignace en lui tapant dans le dos

Leur visite chez Sommerhalter ne donne rien. Les clients, paisiblement attablés, ne sont ni essoufflés, ni en sueur. Et vu leurs âges, ça ne fait aucun doute, le braconnier n'est pas l'un d'eux.

Mais suspicieux, Miesch pense que le filou aurait pu entrer par l'arrière de l'auberge, du côté boucherie, pour y négocier le fruit de son larcin. L'aubergiste aurait eu tout le temps de vérifier la marchandise et de lui glisser quelques pièces dans la poche. Le braconnier serait reparti par le même chemin. Mais ce ne sont que des supputations qui ne valent pas grand-chose.

— Au fait, tu connais Catherine ?

— Celle que l'on surnomme la sorcière ? demande Joseph Miesch

— Oui. Je la soupçonne de braconnage. Tu ne l'as jamais croisée ou vue rôder dans le Westerfeld ou dans le Grundboden ?

— Je l'ai rencontrée à plusieurs reprises. Mais c'est une vieille femme inoffensive, enfin d'après moi. Je ne l'ai jamais prise la main dans le sac.

— Attention, elle est rusée. Une sorcière, je te dis. Un conseil, méfie-toi d'elle. Ouvre l'œil. Elle a vite fait de cacher le lièvre et le collet sous ses robes.

— Tu crois ?

— Le matin, elle s'en va toute maigrichonne et quelques heures plus tard elle revient curieusement avec quelques kilos en plus ! Tu ne vas pas me raconter qu'elle s'est engraissée en si peu de temps.

— Non, c'est étonnant. Je n'ai jamais remarqué.

— Tu es un garde bien médiocre ! Ha ha, s'esclaffe Ignace en portant son verre à sa bouche.

Sur ce, entre Joseph Homma, les cheveux ébouriffés, le visage gris et les yeux cernés. Il prend place à la table occupée par Ignace Lammert et le garde Joseph Miesch et lance au tenancier :

— Une chope de bière ! Une bien fraîche !

Sommerhalter, qui redoute la réaction excessive d'impatience de Homma, s'empresse de répondre à sa demande. Homma est du genre irritable et il est préférable de ne pas trop provoquer son tempérament déjà assez colérique en temps normal.

— J'ai passé la nuit dehors et ramassé trois ivrognes. Ça m'a donné soif !

Il avale une grande rasade de bière et essuie sa bouche couverte de mousse blanche.

— J'ai vu Antoine. Antoine Fichter, de chez Kistler. Il ne m'a pas l'air bien.

— Ah oui, je sais, répond Ignace. C'est à cause de la Catherine non ?

— C'est ça. Elle s'oppose à la vente de la poterie. Une vraie garce, celle-là !

Sommerhalter qui n'a pas ses oreilles dans sa poche, s'approche de la table et d'un ton narquois leur dit,

— Ça arrangerait bien du monde si elle venait à disparaître, n'est-ce pas ?

Ignace relève la tête et acquiesce tout en baissant ses paupières. Joseph Miesch renchérit,

— Ce n'est pas une raison de lui en vouloir. Elle tient à sa poterie, tout simplement.

Homma enchaîne sur une intonation plus offensive :

— Elle tient à sa poterie ! Tu rêves ? Elle emmerde Fidèle et Antoine, c'est tout ! Un jour, Antoine en aura tellement marre d'elle qu'un malheur arrivera. Ça ne m'étonnerait qu'à moitié. Ensisheim n'a pas fini d'être le village des sorcières. Sa réputation est faite ! Catherine est une réplique de celles de Rouffach. On n'aurait jamais dû l'accepter ici ! On n'avait pas besoin de ça chez nous !

— J'ai une bonne idée pour régler son affaire, à celle-là, enchaîne Ignace Lammert, sur un ton présomptueux. Je vais essayer de la surprendre en flagrant délit lorsqu'elle ira sur les prés privés pour couper de l'herbe et, peut-être, commettre d'autres larcins, qui sait ?

— Ah, ensuite, que se passera-t-il ? Cela ne changera rien, répond Homma.

— Bien sûr que si, que ça changera. Vous allez voir ! Ignace Meyer, le juge de paix, devant lequel elle comparaîtra pour vols, ne va pas se gêner pour la condamner. Depuis le temps qu'elle nous crée des ennuis, cette mégère. Coupable, elle n'aura plus la faculté de signer quoi que ce soit. Elle sera déchue de ses droits !

— Et Fidèle pourra ainsi conclure la vente de son atelier avec Antoine, ajoutent en chœur Homma et Miesch.

Sommerhalter revient à la table en s'essuyant les mains sur son tablier de boucher qu'il a mis provisoirement pour servir du jambon à une bonne cliente. Comme à son habitude, il a tout entendu derrière son comptoir.

— Ne vous imaginez pas qu'un vol d'herbe suffira à faire condamner Catherine avec, en plus, la perte de ses droits. Vous rêvez !

Excédé, Homma se tourne vers Sommerhalter et lui rétorque :

— Tu te mêles toujours des affaires qui ne te regardent pas ! Tu es juge maintenant ? Bon, certes, ce n'est que de l'herbe, mais il est probable qu'il y ait aussi autre chose, du genre gibier par exemple...

— Ça, ça relève du braconnage et là, c'est du sérieux, croyez-moi, en déduit Miesch, très persuasif.

Lammert savoure en silence les réactions de Homma et de Miesch. Il sait que Catherine a beaucoup d'ennemis et son entêtement à vouloir conserver l'atelier familial n'arrange en rien les choses. Il est persuadé qu'un malheur arrivera à Catherine tôt ou tard.

Satisfait, il vide son verre de vin et prend congé en saluant au passage la tablée d'en face qui, discrètement, a suivi la discussion, mais avec un réel intérêt.

Antoine est rentré plus tôt de son travail. Il ne se sent pas bien. Il a des coliques qui l'obligent à se rendre constamment aux latrines situées à l'arrière de la maison, dans une minuscule cabane en bois. Sa femme, Anne-Marie, est très inquiète, car le scorbut a déjà provoqué la mort de beaucoup de prisonniers. Elle craint le pire. Antoine la rassure. Il n'a pas eu de contact avec la population carcérale. Ses coliques ne peuvent provenir que de la bière qu'il a ingurgitée, la veille, bien trop vite et trop froide. Il ira chez le médecin demain si son état de santé s'aggrave. Dans l'immédiat, il s'isole en évitant tout rapprochement avec ses enfants.

À l'insu de son mari, Anne-Marie va voir Catherine qui est en train de nourrir ses quelques lapins avec des épluchures de légumes du jardin.

— Catherine, j'ai peur pour Antoine. Il ne fait que se vider depuis hier soir.

— C'est le résultat de l'alcool, ma pauvre Anne-Marie ! Ça, ça nettoie !

— Tu peux lui donner une potion ? Tu connais bien les herbes qui guérissent !

— À lui ? Lui qui me traite de sorcière ou de je ne sais quoi ? Je regrette, mais de toute façon je ne soigne pas, contrairement à ce qui se raconte à Ensisheim. Les gens ont de mauvaises langues !

— Je t'en prie ! Tu peux bien préparer un petit remède pour lui. Je ne veux pas qu'il attrape le scorbut !

— Je ne veux pas. Pas question que je l'aide. Il me traite de tous les noms d'oiseaux, me menace et va même jusqu'à m'agresser en me lançant des assiettes !

— Je t'en supplie, oublie tout ça et fais quelque chose ! Je sais que tu peux. Fais-le pour mes enfants au moins. Tu ne peux pas rester insensible à mes deux petits !

— Il n'a qu'à aller voir le docteur Dangel ou le docteur Knoll !

Fâchée par l'attitude méprisante et obstinée de Catherine, Anne-Marie fond en larme et s'en retourne chez elle en bousculant au passage, Fidèle qui vient à sa rencontre. Elle lui balance :

— Ta femme est ignoble !

Chapitre 6

Vendredi 18 juillet 1856. Il fait chaud ce matin. Les artisans et commerçants installent leurs étals en cherchant le moindre coin d'ombre sous les nombreux arbres qui agrémentent la place de l'Église. Les plus chanceux se regroupent sous les arcades de la mairie, l'ancien palais de la Régence.

Le sergent de ville, Louis Deninger, est chargé de l'encaissement des droits du marché. Il se sert de ses enjambées pour mesurer la longueur des tables sur lesquelles sont disposées les denrées mises en vente. Il note et calcule le montant de la taxe qu'il recouvre sans délai.

Certains grommellent et tergiversent, mais devant l'intransigeance de Deninger, ils acceptent finalement de payer.

Catherine ne peut s'empêcher de traverser le marché. Elle n'a rien à écouler aujourd'hui, mais la curiosité la pousse dehors. Elle regarde partout autour d'elle pour s'assurer qu'Ignace Lammert ne la suit pas. Dans la foule, elle aperçoit au loin, Antoine, qui se dirige vers la rue de l'Église. Il se rend certainement chez le docteur Jean-Baptiste Dangel pour ses problèmes intestinaux, pense-t-elle. Elle jubile. Elle possède une vieille recette de sa mère qui utilisait des plantes comme l'ortie et la véronique pour soigner le scorbut. Mais, d'après elle, Antoine n'a qu'une simple diarrhée provoquée par l'absorption de boissons froides.

Ignace a déjà fait la tournée des cafés. Il est presque midi. Il passe rapidement à la maison et déjeune sur le pouce. Il se tranche un nouveau morceau de lard qu'il accompagne d'un bout de pain rassis. Sa femme trempe un croûton dur dans un bol rempli de vin rouge coupé avec de l'eau. Elle trouve son mari nerveux et agité. Elle met cela sur le compte des verres qu'il a bus sans ménagement dans les bistrots comme à son habitude.

Vers midi et demi, il remet son képi et quitte la maison pour reprendre son service.

Catherine est attablée dans la cuisine avec Fidèle. Elle s'est préparé un œuf au plat qu'elle avale rapidement. Fidèle n'a pas faim. Il s'inquiète pour la santé d'Antoine. Avec le retard accumulé à l'atelier, il craint de ne pouvoir assurer, seul, la fabrication de pièces suffisantes pour la vente de vendredi prochain. Entre-temps, il a reçu deux commandes spéciales d'assiettes et de bols à livrer impérativement pour la fin du mois.

Catherine s'essuie la bouche et se lève brusquement pour laver sa poêle et les couverts. Puis elle s'adresse à Fidèle :

— Je vais faucher de l'herbe pour le cheval. Tu viens ?

— Non. Je ne peux pas. Tu vois bien, Antoine n'est pas là et j'ai énormément à faire pour la semaine prochaine.

— C'est toujours pareil avec toi ! J'irai donc seule, mais je te préviens si Ignace m'agresse à nouveau, je vais lui faire une belle estafilade sur sa figure de poivrot avec ma faucille. Je le ferai ! Tu verras que je le ferai. Je ne plaisante pas !

— Arrête, il ne t'arrivera rien. Je te rappelle que je lui ai parlé. Il te laissera tranquille si tu respectes bien les endroits tolérés pour la coupe.

Catherine saisit le grand drap qui lui sert de baluchon à herbe, met son chapeau de paille et empoigne la faucille qu'elle brandit vers Fidèle en s'écriant :

— Qu'il n'essaie pas ! Il l'aura dans la figure ! Je te le dis, il l'aura ! Puis elle s'éloigne en direction des prés en fulminant quelques mots crus. Il est un peu plus de treize heures.

Fidèle hoche la tête par dépit et se rend dans son atelier. Décidément, songe-t-il, Catherine ne changera pas.

Sur le chemin en direction de l'Ill, Catherine rencontre, à proximité des oseraies, Marie-Anne, veuve Bruewiller. Elle est affairée à sectionner des rameaux d'osier qu'elle utilise pour confectionner des paniers, des corbeilles et occasionnellement à la demande, elle tresse des berceaux pour nouveau-nés. Elle a une cinquantaine d'années, des cheveux poivre et sel savamment entrelacés à l'arrière et retenus par un nœud vert. Ne la connaissant pas particulièrement, Catherine s'approche d'elle avec prudence et finit par lier conversation.

— Pensez-vous qu'il est permis de couper l'herbe qui se trouve dans ces saules ? Ne croyez-vous pas que le garde Lammert y mette un obstacle ?

— Je ne sais pas. J'ai rarement vu Lammert ici. Moi, je ne prends que l'osier qui n'appartient à personne.

Catherine lui raconte alors les comportements inappropriés et violents dont il a fait preuve envers elle. Elle lui mime certaines scènes d'étranglement et d'autres actes de cruauté qu'elle a subis. Marie-Anne Bruewiller ne paraît pas étonnée par les agissements d'Ignace Lammert, souvent à la limite de la légalité. Elle le connaît depuis plusieurs années. C'est un sanguin, mais de là à utiliser la force contre une vieille femme, elle se refuse de la croire.

— Vous pouvez faucher tout ce qui se trouve autour de moi sans risque. Je reste encore quelques instants, le temps d'engerber les tiges et de les caler sur ma charrette. Rassurez-vous, il ne vous arrivera rien.

— Merci madame. Je rentrerai avec vous, si vous le permettez, dès que vous aurez fini de couper votre osier. Je vais me dépêcher d'enlever l'herbe en attendant.

À quelque distance de là, derrière le buisson qu'il a repéré quelques jours plus tôt, Ignace suit avec attention la scène. Il est quelque peu frustré de ne pas pouvoir isoler Catherine. La présence d'Anne-Marie Bruewiller compromet son plan. Il espère qu'elle s'en ira avant Catherine. Ce n'est qu'après une bonne heure, que les deux femmes quittent ensemble les lieux et se dirigent vers la ville. Agacé, Ignace sort du bosquet, relève son képi et essuie la sueur qui perle sur son front. Il reste encore quelques instants près de la rivière pour profiter de l'agréable fraîcheur qu'elle dégage. Il est quinze heures. Déçu, son plan ayant échoué, il décide d'aller au lieu-dit Rueschfeld à environ trois cents mètres, plus à l'est. Dès qu'il s'en approche, il distingue au loin deux silhouettes féminines qui semblent s'activer dans le champ de blé de Barthélemy Krafft, un marchand de farine. Il arrive vers elles et, bien qu'il les connaisse, il use un ton péremptoire pour les interpeller :

— Que faites-vous ici ? Qui êtes-vous ?

Les deux femmes qui façonnent des gerbes sursautent effrayées par la voix autoritaire du garde champêtre. L'une d'elles répond :

— Mais vous me connaissez bien. Je suis Agathe Keller et elle, c'est Madeleine Rueff. On travaille pour le compte de Barthélemy Krafft. On prépare le blé qui sera chargé tout à l'heure pour être acheminé chez son frère au moulin Krafft.

Ignace sait qu'il a affaire à de braves femmes, mais pour faire son important, il adopte un air dubitatif, sort son calepin et fait mine d'écrire.

— Je vérifierai. N'ayez crainte !

Après avoir remis son carnet en place dans le haut de sa chemise, il opère un demi-tour et reprend la direction du Grundboden dans l'espoir de revoir Catherine. Mais, sur les lieux, il ne rencontre que trois ouvriers de la vannerie Münck qui cueillent des osiers. Après les avoir salués, il se décide finalement à rentrer au village.

Fidèle profite de l'absence de Catherine pour passer chez Antoine. Il constate qu'il va mieux et qu'après tout ce n'est qu'une fâcheuse colique provoquée, selon le docteur Dangel, par l'ingestion d'un aliment avarié. Avec cette chaleur, il est difficile de conserver des denrées dans de bonnes conditions de consommation. La qualité de l'eau du puits peut aussi influer sur l'état de santé des intestins. Le médecin lui a prescrit une poudre à prendre avec de la tisane au thym. Antoine reviendra travailler demain matin. Fidèle, rassuré, le quitte et se hâte de regagner l'atelier avant le retour de sa femme.

Ce n'est que vers seize heures trente que Catherine, chargée de son baluchon bien rempli, arrive à la maison, exténuée et toute en sueur.

74

Elle étale son fardeau dans la cour et se précipite vers le puits d'où elle tire le seau d'eau pour se désaltérer. Elle saisit ensuite son râteau en bois et aère l'herbe sur le sol. Puis, à l'aide d'une fourche, elle ramasse une partie pour la mettre dans la mangeoire du cheval qui patiente dans son enclos, à l'ombre d'un grand acacia et d'un sureau aux multiples fleurs blanches et odorantes. Après s'être rafraîchie au puits, elle passe à l'atelier. Antoine n'étant pas là, elle ne peut pas s'en prendre à lui comme la dernière fois où cela a failli mal finir. Fidèle est assis devant son tour, concentré sur sa glaise. Ses doigts, bien que fragiles et douloureux, montrent encore de bonnes dispositions à façonner l'argile. Catherine pose à ses pieds un baquet plein d'eau qui lui sert à mouiller la masse à travailler.

— J'y retourne. Je n'ai pas assez d'herbe. Je n'ai pas vu Ignace Lammert traîner dans le coin.

Je vais en profiter.

— Il est presque dix-sept heures ! Tu peux y aller demain.

— Non, j'y vais tout de suite. Au fait, j'ai rencontré une agréable personne qui coupait de l'osier au Grundboden. Elle m'a tenu compagnie et nous sommes rentrées ensemble. Elle s'appelle Bruewiller, elle est veuve et pour nourrir sa famille, elle confectionne des paniers.

— Elle y retourne aussi ?

— Non, je vais seule.

Rien ne peut arrêter Catherine quand elle a une idée en tête. Elle s'équipe une nouvelle fois de son drap, de son chapeau de paille et de sa faucille et s'en va en s'aidant de son inséparable bâton. Il est dix-sept heures.

À ce moment précis, Fidèle ignore qu'il vient de s'adresser pour la dernière fois à sa femme. Cette fois-ci, l'entêtement de Catherine va jouer contre elle.

Catherine presse le pas. Il est déjà plus de cinq heures du soir et le soleil amorce délicatement sa descente vers l'horizon. Un léger vent doux se lève, fait chanter les feuilles des arbres et danser les blés dans les champs. Elle arrive enfin sur les bords de l'Ill à l'endroit habituel où elle étale son drap. Elle saisit sa faucille et commence à couper les hautes tiges.

Claude Labiche, soixante-huit ans, ancien secrétaire-greffier à la prison, effectue, comme toutes les fins de journées, une halte dans son jardin situé à environ deux cents mètres au sud du village. Pour y accéder, il emprunte le chemin vicinal qui dessert les prés du Grundboden et du Loedersach. De son potager, il a vu passer Catherine, qui ne l'a d'ailleurs pas salué. Cela lui arrive fréquemment lorsqu'elle est pressée. Dans l'après-midi, le tisserand, Xavier Biehler, sa femme et son fils ont également suivi le sentier pour récupérer du bois mort au Loedersach. Plus tard, au retour, ils se sont arrêtés devant le jardin pour échanger quelques mots avec Claude Labiche puis ils sont repartis en tirant leur charrette à bras chargée de brindilles et de petites branches sèches.

Soudain, entre dix-sept heures trente et dix-sept heures quarante-cinq, le cri court et aigu d'une voix de femme déchire le calme et la quiétude qui règne par cette belle soirée d'été. Claude Labiche qui bine son carré de légumes sursaute puis tend l'oreille en direction des prés du Grundboden, car, il ne fait aucun doute, ce cri venait de cette direction. Il range sa houe dans le cabanon et se lave les mains dans l'auge en pierre destinée à recueillir les eaux de pluie. Labiche ne cache pas son anxiété. Il hésite entre aller sur les lieux d'où provenait le hurlement ou rentrer chez lui et revenir éventuellement le lendemain accompagné du sergent de ville. Mais cette personne a probablement besoin d'aide. Demain, il sera peut-être trop tard. En quelques minutes, mille questions traversent son esprit. Il est inquiet par ce cri glaçant et bref qu'il vient d'entendre. Il attend encore un bon moment et poursuit l'arrosage des plants de légumes. Ce n'est que vers vingt heures, avant de rentrer chez lui, qu'il décide finalement de se diriger vers le Grundboden pour en avoir le cœur net. Il regarde autour de lui dans l'espoir de trouver quelqu'un qui accepterait de l'accompagner. Hélas, il n'y a personne. Les Biehler ont sans doute déjà regagné leur domicile à l'heure qu'il est. Il est bien seul. Il s'arme de courage et avance prudemment en empruntant le sentier qui, à travers quelques bosquets et haies sauvages, débouche sur la rivière. Tout le long du chemin, il ne remarque rien de particulier. Tout paraît normal. Arrivé au bord de l'Ill, il décide de rompre ce silence oppressant qui l'entoure. D'une voix mal assurée et angoissée, il lance :

— Il y a quelqu'un ?

Personne ne répond. Il reprend sa question sur un ton plus ferme et tend l'oreille. Il n'entend que le clapotis régulier du filet d'eau qui nourrit le lit de la rivière.

Labiche est tranquillisé. Il n'entend rien. Ni murmure ni gémissement. Il s'apprête à faire demi-tour, lorsque subitement, il se ravise. Il ressent une présence inhabituelle. Un sentiment étrange l'incite à poursuivre ses recherches en se déportant sur sa gauche, le long de l'oseraie. Au bout d'un moment, il renouvelle son appel :

— Il y a quelqu'un ?

En vain, aucune réponse ne lui parvient.

Il s'approche d'un bosquet qui semble avoir été dérangé. Des branches sont cassées, d'autres, écrasées ou piétinées. En se penchant plus en avant, il aperçoit un drap blanc puis un peu plus loin, un tissu noir qui ressemble plutôt à un vêtement, à une robe peut-être. La tension devient de plus en plus forte au fur et à mesure que Labiche dégage d'une main tremblante, les ronces qui obstruent sa vue.

— Quelle horreur ! s'écrit-il soudain.

Il découvre ce qu'il redoutait le plus : le corps d'une femme au visage émacié et livide, aux yeux exorbités, figé comme un mannequin de cire.

Il lui saisit le poignet, encore légèrement tiède, pour prendre le pouls. Il ne ressent aucune pulsation. Le cœur a lâché. Elle est bien morte, certainement à la suite d'une crise cardiaque. Inconsciente, elle a dû tomber dans les buissons de ronces. Il reconnaît Catherine Kistler. Il la voyait souvent dans les prés couper de l'herbe ou ramasser des petites pommes vertes pour son cheval. Tout à l'heure encore, elle est passée devant chez lui et maintenant, elle gît ici, morte. Il a du mal à comprendre comment d'un moment à l'autre, on peut basculer de l'autre côté sans avoir eu le temps de dire un ultime adieu à sa famille et à ses amis.

Avant de quitter les lieux, il prend soin de couvrir la tête de la défunte avec le drap blanc qui traîne à proximité, car les mouches dorées et vertes ont déjà pris possession du cadavre.

Fidèle est angoissé. Il est sept heures du soir et Catherine n'est toujours pas rentrée. Il se rend alors chez Antoine et Anne-Marie Fichter. Ils sont attablés avec leurs deux enfants, en train de dîner.

— Je suis désolé de vous déranger à cette heure-ci. Mais je suis très inquiet. Catherine n'est pas encore revenue. Elle était repartie vers les dix-sept heures pour faucher de l'herbe. Elle devrait déjà être là.

— Elle ne va plus tarder, je pense. Viens, assieds-toi, on a un reste de soupe si tu veux, répond Anne-Marie.

— Non, non, je n'ai pas faim. Je crois que je vais aller voir au Grundboden. J'ai bien peur qu'il lui soit arrivé un malheur, car d'habitude elle rentre toujours avant dix-huit heures. Mais là…

Antoine demeure de marbre. Il laisse Fidèle faire demi-tour et regagner la porte sans lui adresser le moindre mot pour le rassurer ou lui proposer de l'accompagner.

Une heure après la découverte du corps, le Grundboden est en pleine ébullition. Le maire Jean-Baptiste Dangel, Jean Charles Scherrer, commissaire de police, Auguste Silbermann, brigadier, et François Schultz, gendarme, sont, avec Claude Labiche, les premiers sur place pour effectuer le constat et le relevé des lieux du drame. Ce n'est pas la première fois qu'on découvre un cadavre en plein champ ou dans la forêt. Le docteur Dangel palpe la jugulaire et confirme le décès. Il reconnaît sans hésitation Catherine Kistler qui est venue le voir, il y a quelques jours à la mairie, pour se plaindre d'Ignace Lammert.

Rien de suspect n'interpelle les gendarmes qui s'en remettent aux premières conclusions du médecin. La mort semble naturelle.

— J'estime que le décès est survenu entre dix-sept et dix-huit heures. Je vais prévenir le mari de la défunte, dit le maire, en recouvrant, avec le drap, le visage de la Catherine.

Au moment où il veut monter dans son cabriolet, il aperçoit, au loin, une silhouette qui s'approche vers lui. Il reconnaît Fidèle qui est à la recherche de Catherine. Ce dernier, ayant remarqué la présence du maire et des gendarmes, s'écrie en se dirigeant vers eux :

— Que se passe-t-il ? Vous avez vu ma femme ?

Alors qu'il presse le pas vers le lieu du drame, Dangel tente de le retenir.

— Monsieur Kistler, soyez courageux. Oui, votre femme a été retrouvée morte derrière le buisson là-bas. Je vous autorise à la voir pour identifier le corps. Mais pour moi, il ne fait aucun doute, c'est bien votre femme.

— Oh non, ce n'est pas possible, réplique Fidèle en essuyant la larme qui coule sur sa joue.

Il s'approche lentement du bosquet. Les gendarmes s'écartent pour le laisser passer. Jean-Jacques Lang, l'un des deux militaires, soulève le drap qui recouvre le visage de Catherine. Fidèle s'avance jusqu'au cadavre et en apercevant la tête, il pousse un cri de douleur venu de la profondeur de ses tripes.

— Oui, c'est elle ! Que lui est-il donc arrivé ? Comment est-elle morte ?

— Les gendarmes vont effectuer une enquête. Mais à première vue, elle a été terrassée par une crise cardiaque. Pour plus de certitude, on va ramener le corps à la morgue de l'hôpital le plus rapidement possible et procéder à une autopsie. On comprendra mieux les causes réelles du décès. Le juge de paix, Meyer, est déjà prévenu. Il se rendra à la morgue de bonne heure, demain matin.

Fidèle se tient debout, figé comme pétrifié, le regard vague, et les yeux humides.

— Venez Fidèle ! Montez avec moi, je vous dépose à la maison, propose le maire en le prenant par l'épaule. Cela ne sert à rien à rester là, la nuit va tomber.

Après un bref moment d'hésitation, aidé par le maire, il se hisse péniblement dans la voiture.

Les gendarmes ainsi que le sergent de ville demeurent sur place jusqu'à l'arrivée de Nicolas Régisser, le menuisier chargé d'emporter le corps dans un cercueil provisoire en bois pour l'amener dans la chambre mortuaire de l'hôpital.

Le maire Dangel dépose Fidèle devant sa maison. Avant de le quitter, il lui souhaite encore beaucoup de courage dans cette douloureuse épreuve.

Antoine Fichter, qui s'apprête à aller au lit, entend le bruit d'un attelage qui s'arrête devant la maison et repart quelques minutes après. Il perçoit une vague et lointaine conversation dans la rue. Puis, la porte des Kistler se met à grincer. Il pense que Fidèle a bien retrouvé Catherine et qu'une bonne âme les a reconduits chez eux. Anne-Marie, qui n'est pas encore couchée, a la même pensée, mais elle reste inquiète, car, d'habitude, le couple est plus bruyant quand il rentre chez lui. Elle a beau tendre l'oreille, elle n'entend rien. Par contre, un lourd silence règne dans le logement d'à-côté.

Elle s'en va se coucher avec la mauvaise intuition qu'il s'est bien passé quelque chose d'inquiétant.

Fidèle passe une très mauvaise nuit. Il n'arrive pas à fermer l'œil. Les images de Catherine le hantent. Parfois, il sent sa présence dans la chambre, mais il a beau chercher autour de lui, Catherine n'est plus là. Il imagine encore qu'elle est partie faucher l'herbe et qu'elle reviendra bientôt. Pour rien au monde, elle n'abandonnera son cheval et ses lapins. Elle ne peut pas leur faire ça.

À l'aube, il se lève avec peine de son lit, bien trop grand maintenant, et s'habille prestement. Il sort ensuite dans le jardinet et se dirige vers le puits d'où il puise un seau d'eau bien fraîche qu'il se verse sur sa tête.

Antoine, qui a entendu du bruit à côté, se précipite dehors. Il voit Fidèle qui se sèche avec un vieux chiffon gris. Il accourt vers lui :

— Alors tu l'as trouvée ta Catherine ?

— Oui, je l'ai trouvée. Mais pas comme je l'espérais.

— Ah bon ? Et tu espérais la retrouver comment ?

— Vivante.

— Quoi ? Ne me dis pas qu'elle est morte !

— Oui, morte, je te dis !

— Viens chez moi. Il te faut un remontant !

Fidèle ne refuse pas. Il suit Antoine jusque dans la cuisine où Anne-Marie prépare le café.

— Anne-Marie, Catherine est décédée ! Fidèle l'a trouvée hier soir.

— Où ?

— Je n'en sais pas plus, Fidèle va nous raconter tout cela. Sers-nous un petit schnaps !

Anne-Marie hésite un peu, car elle n'aime pas que son mari commence la journée en buvant de l'eau-de-vie dès le matin. Mais elle s'adapte aux circonstances exceptionnelles. Et le décès de Catherine en est une.

Antoine fait signe à Fidèle de s'asseoir à un bout de la table. Anne-Marie verse deux verres de schnaps et rebouche la bouteille qu'elle va ranger, tout de suite après, dans le buffet.

— Alors, raconte-nous, s'impatiente Antoine, les yeux rivés sur la bouche de Fidèle.

— Hier soir après être passé chez toi, je me suis rendu au Grundboden pour aller à la rencontre de Catherine.

Entre deux gros reniflements, il avale le contenu de son verre et poursuit :

— Mais, quelle n'est pas ma surprise, lorsque je vois au bout du sentier, le long de l'Ill, un attroupement. Je m'approche doucement et je reconnais alors le maire Dangel et deux gendarmes qu'accompagnait Claude Labiche. Je me suis tout de suite douté que quelque chose d'inquiétant s'était passé. Et je ne me suis pas trompé.

— Catherine a été tuée ?

— Tuée ? Pourquoi dis-tu qu'elle a été tuée ? On n'en sait rien. Toujours est-il que je l'ai vue gisant derrière un bosquet. Morte ! Le médecin et les gendarmes pensent qu'elle est décédée à la suite d'une crise cardiaque. Mais attendons les résultats de l'autopsie.

— Catherine, morte ! Je n'en crois pas mes oreilles, ajoute Anne-Marie en s'effondrant sur une chaise de la cuisine.

— On te présente nos condoléances.

— Merci.

— Qu'envisages-tu maintenant ? demande Antoine.

— Je n'en sais rien. Il me faut du temps pour réfléchir.

Fidèle se lève et retourne, tel un automate, dans sa maison, sans rajouter un mot, laissant Antoine et sa femme pantois.

Samedi 19 juillet. Le corps de Catherine a été déposé, la veille, à l'hôpital, dans un local sombre au sous-sol, à peine éclairé par un vasistas qui donne sur la rue. Mais pour les besoins de l'autopsie, la dépouille est remontée et transportée dans la salle de soins. Il est neuf heures du matin lorsque Ignace Meyer, juge de paix, accompagné de son greffier, Jean-Baptiste Felmer, pénètre dans la pièce. Il est accueilli par les sœurs hospitalières, Barbe Eck, Thérèse Schneider et Caroline Adam. Cette dernière informe le magistrat que seul le curé Apolinaire Freyburger est encore passé la veille pour lire une prière pour le repos de l'âme de la défunte.

Quelques minutes après, le docteur Joseph Knoll arrive, tout essoufflé. Il salue les représentants de la justice, et se met tout de suite au travail. Il revêt une grande blouse blanche et se coiffe d'un bonnet fourni par l'hôpital. Puis il ajuste un masque sur sa bouche. Il déballe de sa serviette quelques instruments chirurgicaux qu'il dispose soigneusement sur une table. Il enfile ensuite de longs gants dont les rebras montent au-dessus du coude. Il se penche sur le cadavre et examine, dans un premier temps, la tête. Il utilise une loupe grossissante tout en palpant les muscles atrophiés du cou. Le docteur

Knoll est un jeune spécialiste de l'expertise médico-légale. Pour chaque mort inhabituelle ou suspecte, le juge fait régulièrement appel à lui. Pour le cas de Catherine Kistler, le seul fait de l'avoir retrouvée morte dans la nature à près de quatre cents mètres au sud du village, oblige nécessairement à avoir recours à une analyse médicale complète pratiquée par un médecin expert en la matière, afin de déterminer les causes exactes du décès. Au bout d'un certain temps, l'examen du corps achevé, le médecin se redresse et ôte son masque.

— Et bien, messieurs, annonce le médecin en relevant la tête, je vais peut-être vous surprendre, mais je peux vous affirmer que Catherine n'est pas morte des suites d'un infarctus.

— Je m'en doutais un peu, répond le juge Meyer. Les conditions dans lesquelles on l'a trouvée plaident effectivement pour la thèse d'une mort suspecte. Et vous en concluez ?

— L'examen sommaire que je viens de pratiquer prouve que le décès est dû à la strangulation exercée avec une force et une opiniâtreté extraordinaire par une main appliquée violemment sur la partie antérieure du cou. Le cadavre porte, en outre, au milieu du front, sur le sourcil gauche, à l'extrémité du nez et au menton, des traces de lésions qui auraient évidemment été faites du vivant de cette malheureuse femme. J'en déduis que nous sommes en présence d'un homicide volontaire. C'est à vous maintenant, Monsieur le Juge, de prendre en charge la suite des investigations pour qu'elles aboutissent à l'arrestation du criminel. J'établirai mon rapport dans la journée et vous le ferai parvenir aussitôt.

— Merci docteur, je compte sur vous. Pour ma part, je vais prendre les mesures nécessaires pour que cette affaire soit instruite dans les meilleurs délais.

La dépouille de Catherine est redescendue dans la chambre mortuaire au sous-sol. Elle est posée sur une dalle en pierre sur laquelle coule un filet d'eau fraîche prélevée à l'aide d'un tuyau enterré, depuis le canal du Quatelbach, qui est à quelques pas derrière l'Hôpital. Cette ingénieuse méthode garantit un flot constant et frais, sans cesse renouvelé pour permettre la conservation provisoire des corps.

Ignace Meyer n'est pas un professionnel de la Justice. C'est un élu qui siège au Conseil Général du Haut-Rhin, ce qui lui donne la légitimité pour assurer les fonctions de juge de paix cantonal. Son rôle est limité à la gestion des petits délits et aux litiges de la vie courante. Mais dans le cas du crime d'Ensisheim et en l'absence d'un juge d'instruction, désigné par le Procureur de la République, c'est à lui d'instruire l'affaire.

Il charge le commissaire Scherrer de mener l'enquête.

Jean Charles Scherrer est un jeune commissaire froid et hautain. Il a des cheveux noirs, bien soignés et coupés court. De larges pattes encadrent son visage des tempes à la mâchoire. Son allure générale impose le respect malgré son jeune âge.

La brigade de gendarmerie est réquisitionnée pour investiguer, car dans les communes rurales, elle remplace la police.

Chapitre 7

Le même jour, à sept heures trente, Ignace Lammert, contrairement à ses habitudes, passe à la ferme Saint-Jean, chez Jean Rumbach. À peine franchit-il le seuil de la porte qu'il annonce :

— Tu as appris la nouvelle ? Catherine Kistler est morte. On l'a découverte hier en fin d'après-midi, dans un buisson.

— Ah bon ? Et de quoi est-elle morte ? questionne Rumbach.

— Crise cardiaque, je crois. Enfin, une autopsie aura lieu dans la matinée.

Madeleine, la femme de Jean Rumbach, intervient à son tour :

— Où l'a-t-on trouvée ?

— Dans les prés du Grundboden, le long de l'Ill, derrière une haie de ronces, paraît-il. Je n'y étais pas hier soir. C'est Martin Meyer et mon collègue Louis Biehler, qui m'ont informé tôt ce matin.

Élisabeth Bauer, la servante, cesse de balayer et se tourne vers Ignace pour ne rien rater de la conversation. Elle connaît un peu la Catherine.

— Merci de nous avoir prévenus, réplique Madeleine. Je te sers un café avec un schnaps ?

— Ce n'est pas de refus, car je ne me sens pas très bien. J'ai comme un nœud à l'estomac. Je ne sais pas pourquoi.

Sur ce, les parents de Madeleine, les Vogel, entrent dans la pièce et saluent Ignace. Ils s'installent sur un vieux canapé râpé, en chassant, au passage, le chat roux qui s'y prélasse en se léchant les pattes.

— Que se passe-t-il ? demande le père Vogel, étonné de voir le garde champêtre à cette heure.

— Il est venu nous annoncer la mort de Catherine, la sorcière, répond Jean Rumbach en élevant le ton de sa voix.

Ses beaux-parents ont quelques problèmes d'audition.

— On ne connaît pas, réplique le père Vogel.

Madeleine verse le café et un bon verre de schnaps à Ignace. Elle lui propose également un morceau de kouglof, un reste d'hier, qu'il avale goulûment.

Jean enchaîne :

— Qu'a-t-elle donc bien pu faire au Grundboden à cette heure ? À son âge et avec la chaleur d'un mois de juillet, elle aurait été mieux à la maison.

— Tu sais, elle est connue pour ses petits larcins. Je l'ai déjà surprise en train de faucher l'herbe sur des propriétés privées. Et je ne dis pas des chapardages de pommes et d'autres méfaits, comme le braconnage.

— Le braconnage ? Elle ? Je n'en ai jamais entendu parler.

— Et bien moi, oui, c'est Joseph Miesch, le garde particulier de la ferme Saint-Georges qui me l'a appris.

— Cela m'étonne. Vu son âge et son état physique, je ne m'imagine pas Catherine courir après le gibier. Bon, bref, paix à son âme, poursuit Madeleine en se signant.

— Le cadavre porte des égratignures au visage et à la poitrine, reprend Ignace.

— La pauvre, se lamente la servante Élisabeth en se remettant au travail.

— C'est certainement dû à sa chute dans les ronces, conclut Madeleine.

Après le départ d'Ignace, Jean Rumbach se ressert un petit schnaps, produit de la distillation de fruits de son verger. Il jette un regard à sa femme et à la servante et déclare :

— Je ne sais pas. Mais après tout ce qu'il vient de nous dire tout à l'heure, ça ne fait aucun doute. Pour moi, l'assassin c'est Ignace.

Madeleine et Élisabeth se regardent et acquiescent d'un hochement de la tête. Il ajoute :

— On verra, en fonction de l'avancée de l'enquête, je devrais sûrement rapporter à Scherrer tout ce qu'Ignace vient de nous raconter. Mais, en attendant, pas un mot.

Fidèle Kistler est atterré. Sur le pas de sa porte, le commissaire de police, Jean Charles Scherrer, accompagné du brigadier Auguste Silbermann, vient de l'informer que sa femme a été assassinée par strangulation. L'autopsie en fait foi.

— Assassinée ! s'écrit-il, les yeux remplis de haine, c'est abominable ! Malheur à celui qui a tué ma Catherine ! Quelle bête infâme a pu s'acharner sur une pauvre femme sans défense ! C'est ignoble !

Il enfouit son visage dans ses mains aux doigts déformés et reste ainsi quelques instants silencieux.

Après avoir repris ses esprits, Fidèle les invite à entrer dans la cuisine et leur demande de s'asseoir autour de la table sur laquelle règne un désordre indescriptible.

— Mes condoléances, Kistler. On s'excuse de venir si tôt, mais on n'a pas une seconde à perdre. Il faut qu'on trouve l'auteur de ce crime et au plus vite. On veut vous poser quelques questions d'usage, vous comprendrez, dit le commissaire.

— Oui, faites votre travail. Je suis à votre disposition.

Scherrer sort de sa veste un carnet et l'ouvre sur la table. Puis il extrait un crayon de sa poche. Il porte le bout de la mine sur sa langue et gribouille quelques annotations sur son calepin.

— Où étiez-vous hier soir à cinq heures ?

— J'étais là, ici, chez moi. Catherine était sur le point de s'en aller.

— À quelle heure est-elle partie ? Et pour où ?

— Je dirais, tout de suite après cinq heures. Elle m'a annoncé qu'elle voulait encore faucher de l'herbe, car celle qu'elle avait ramassée dans l'après-midi ne suffisait pas.

— Et où ?

— Sur les prés du Grundboden. Je lui ai bien dit de faire attention. Mais elle ne m'a pas écouté. Elle ne m'a d'ailleurs jamais écouté.

— Avez-vous eu une discussion avant ? Je précise, une discussion un peu vive, plutôt une querelle, si vous voyez ce que je veux dire.

— Je vois très bien sur quel terrain vous voulez m'emmener. Non, rien de tout cela. On a eu des disputes, je le conçois, comme dans toutes les familles. N'est-ce pas commissaire ?

— Il paraît que vous vous chamailliez souvent.

— Vous savez à notre âge, on s'accroche pour un rien. Mais si vous me soupçonnez, je peux vous assurer que vous faites fausse route.

— Je ne vous suspecte pas. Je pose juste des questions dans un premier temps. Autre chose : selon vous, qui avait intérêt à supprimer votre femme ?

— Oh, beaucoup de monde, je crois. Vous savez, Catherine n'était pas très sociable avec les gens. On l'appelait la sorcière, c'est vous dire. Ah, en réfléchissant bien, peut-être Antoine Fichter, mon ouvrier potier. Pourquoi pas ? En voilà un qui ouvertement souhaitait sa mort. Mais je ne pense pas, car il était chez lui lorsque je suis passé le voir pour lui annoncer que Catherine n'était pas rentrée.

— D'autres noms ?

— Je ne sais pas. Je ne veux accuser personne. Mais vous avez aussi le garde champêtre, Ignace Lammert. Ils se sont toujours pris la tête ces deux-là. Il l'a déjà agressée même physiquement.

— Intéressant, répond le commissaire en se tournant vers le brigadier Silbermann. On ira le voir celui-là.

Vers treize heures, Ignace Lammert prend le chemin vers le lieu-dit : Klein Sanct Johannes Feld (*les petits champs de Saint-Jean*). Il y croise Françoise Biehler, veuve Schott, et sa nièce, Catherine Biehler.

— Alors, on se promène ?

— Oui, Ignace, tu vois bien. Il fait beau et on profite de ce temps pour chercher un peu de fraîcheur et d'ombre sous les arbres le long de l'Ill.

— Comme Catherine, n'est-ce pas, la vieille femme du potier ? Elle est morte !

— Oui, j'ai appris qu'elle est morte. Je suis curieuse de savoir qui a pu tuer cette femme.

— Tuée ? Mais elle est décédée d'une crise cardiaque, je crois. Et puis, au fond, elle a fait sa vie cette vieille sorcière.

— Bah ! Elle était aussi peu sorcière que moi ! interrompt Françoise Biehler. Je suppose qu'elle a été tuée, car ses sabots étaient recouverts de sang. On les a rapportés à l'hôpital.

Sur ce, Ignace lâche une réponse bien surprenante :

— Elle n'avait pas de sabots, mais des savates. J'en ai poussé une dans les broussailles, près d'elle, avec un bâton.

La tante et sa nièce se regardent l'air perplexe. Comment Ignace peut-il donner cette précision alors qu'il n'a pas assisté à la levée du corps ? Et pourquoi a-t-il balancé une savate dans les bosquets ?

Ignace se rend compte qu'il a trop parlé. Il change vite de sujet. Il enchaîne sur des futilités et des événements qu'il affronte dans l'exercice de ses fonctions. Remarquant que cela n'intéresse nullement ses interlocutrices, il les salue et part en direction de la ferme Saint-Jean.

La veuve Schott se tourne alors vers sa nièce Catherine et lui dit :

— Il est curieux cet Ignace. Il nous en parle comme s'il avait été présent sur les lieux du crime.

— Oui, c'est bizarre. On évoque des sabots et lui rectifie et précise que ce sont des savates.

— Et en plus, il en aurait caché une. Donc, j'en déduis qu'il était bien sur place. Pas après le crime, mais bien pendant !

— Arrête tante, tu exagères. Tu ne vas pas soupçonner Ignace Lammert, c'est quand même le garde champêtre de la commune !

— Oui, tu as raison. Mais bon, c'est curieux quand même. Allons, rentrons tranquillement, je crois que le temps se gâte.

En effet, quelques gros nuages gris se mêlent au ciel bleu et jouent à cache-cache avec le soleil.

Après avoir quitté les deux femmes, Ignace Lammert passe, une nouvelle fois, à la ferme Saint-Jean pour s'entretenir avec Jean Rumbach.

— Te revoilà ! As-tu oublié quelque chose ?

— Non, non ! Je veux seulement savoir si vous avez des nouvelles plus récentes.

Madeleine qui vient juste de dresser la table avec Élisabeth, la servante, lui répond :

— C'est gentil, mais depuis que tu es venu ce matin, il n'y a eu rien de neuf. Tu sais, comme la ferme est à l'écart du village, on est toujours les derniers à apprendre les nouvelles histoires du bourg.

Ignace Lammert s'éponge le front dégoulinant de sueur. Il s'assied à la table et pousse un grand soupir. Décidément, il n'est pas dans son assiette. Il paraît absent, ailleurs. Après avoir bu le verre de vin que lui a servi Élisabeth, il se décide à raconter :

— Le commissaire Scherrer mène l'enquête.

— Je suis encore étonnée, réplique Madeleine, qu'on ait pu s'en prendre à cette vieille femme même si elle passait pour être une sorcière.

— Moi, cela ne me surprend pas.

— Ah bon ?

— Sorcière ou pas, moi je ne la craignais pas. Je l'ai un jour sérieusement empoignée et secouée comme un arbre à fruit, sans qu'il me soit arrivé la moindre chose. Alors, c'est vous dire !

Madeleine et Élisabeth sont déconcertées par les propos tenus et par la froideur du récit d'Ignace.

Vers seize heures, le commissaire Scherrer, le brigadier Silbermann et le gendarme Spony retournent sur les lieux du crime. Avec sa canne, le commissaire écarte les branches du buisson à la recherche d'indices révélateurs. Silbermann et Spony scrutent l'environnement, tournent autour des arbres et de l'oseraie, ne négligeant rien. Après quelques minutes, Silbermann trouve une faucille qu'il attribue sans aucun doute à Catherine. Il la fourre dans un sac en toile qu'il range soigneusement sur le cabriolet de la gendarmerie.

— Tiens, la deuxième savate, s'écrie le commissaire en la ramassant entre le pouce et l'index. Elle était derrière le bosquet. Tenez, dit-il au gendarme Spony, mettez-la dans le sac avec la faucille. Je me demande ce qu'elle fait là.

Dimanche 20 juillet. Le commissaire Scherrer frappe à la porte d'Antoine Fichter. Il est dix heures du matin. C'est le fils qui ouvre la porte. Scherrer se présente et réclame à rencontrer son père Antoine.

Ce dernier sort d'une chambre, torse nu. Il vient de faire un brin de toilette avec l'eau de pluie qu'il a récupéré dans un baquet en bois lors du récent orage.

— C'est moi, Antoine Fichter.

— Commissaire Scherrer. Je souhaite vous voir pour vous poser quelques questions.

— Des questions ? Sur quoi, sur qui ?

— Vous devez bien vous en douter. C'est de votre voisine, Catherine Kistler dont il s'agit, réplique le commissaire sur un ton cassant.

— Je veux bien vous répondre, mais je ne pense pas que je pourrai vous être utile.

Il le fait entrer dans la cuisine et l'invite à prendre place autour de la table. Anne-Marie, sa femme, est en train de laver Marie, la petite de trois ans. Elle est debout, nue, dans une grande bassine. À l'arrivée du commissaire, Anne-Marie jette une serviette sur le corps de l'enfant et l'emmène rapidement dans la chambre à coucher. Le fils les rejoint en prenant soin de bien fermer la porte derrière eux.

— Je suis désolé de vous importuner, je vois que je viens le jour de la grande toilette, constate-t-il avec ironie.

Il sort son calepin, son crayon et se met à griffonner quelques mots. Ensuite, il lève la tête et s'adresse, dans les formes protocolaires, à Antoine qui ne comprend pas ce qui lui arrive.

— Où étiez-vous, vendredi dix-huit juillet, dans l'après-midi et dans la soirée ?

— J'étais chez moi. Je me remettais de problèmes intestinaux. D'ailleurs, Fidèle pourra vous le confirmer, il est venu me voir en début d'après-midi pour prendre de mes nouvelles.

— D'après les éléments que j'ai déjà pu recueillir, vous n'étiez pas en bons termes avec Madame Kistler. Est-ce exact ?

— Oui, il existait entre nous une grande animosité.

— À cause de la reprise de l'atelier ?

— Oui, elle s'y opposait fermement en prétextant que j'ai corrompu son mari avec l'alcool et que j'étais responsable de sa mauvaise santé.

— Est-ce vrai ?

— En partie. Mais son état n'a rien à voir avec l'alcool. Ses mains et ses doigts sont rongés par l'arthrose. Avec plus de cinquante années d'activités dans ce métier, toujours au contact de l'eau froide et de la terre glaise, il ne faut pas espérer autre chose. C'est certainement ce qui m'attend plus tard. Pour le reste, on a bien le droit de se prendre une cuite de temps en temps, après le travail. Non ? Je sais que cela embêtait beaucoup Catherine, mais on s'en foutait royalement.

— Il m'a également été rapporté que vous étiez très violent avec elle et que vous aviez eu des paroles et parfois des gestes déplacés qui ne laissent aucun doute sur votre ressentiment à son égard. Non ?

— Je reconnais avoir été brutal avec elle, mais de là à la tuer.

— En réfléchissant bien, le décès de Catherine vous ouvre de meilleurs horizons. Votre avenir est assuré.

— Comment cela ? Qui vous dit que Fidèle me cédera la poterie ? Tant qu'on n'aura pas trouvé l'assassin, il me soupçonnera, à tort. Mais il me soupçonnera ! Je n'ai décidément pas de chance. Avant c'était Catherine qui posait problème pour la vente et maintenant c'est son meurtrier.

— Je ne vous incrimine pas spécialement, mais je me pose juste la question : à qui profite le crime ? Néanmoins, je ne vous cache pas que vous avez un intérêt personnel à la supprimer et donc, vous figurez naturellement parmi les suspects. Mais, vos ennuis intestinaux vous sauveront peut-être. On verra.

— Monsieur le commissaire, je peux vous jurer sur la tête de ma femme et de mes enfants que je n'y suis pour rien dans cette affaire, vous pouvez me croire. Ne vous trompez pas de personne.

— Je vous accorde le bénéfice du doute. Je veux bien vous croire. Allez, je vous quitte, je dois continuer mes investigations. Si le juge d'instruction désire vous entendre, je vous conseille vivement de répondre à sa convocation.

Scherrer range son carnet ainsi que son crayon et se lève. Il se dirige vers la porte d'entrée, au fond du couloir. Mais avant de quitter les lieux, il se tourne encore vers Antoine en s'excusant :

— Désolé de vous avoir dérangé. Je souhaite pour vous que l'on ne se revoie pas de sitôt.

— Je l'espère aussi. Bonne journée, Monsieur le Commissaire.

Antoine referme la porte en poussant un grand soupir.

Anne-Marie, toute tremblante, se précipite vers lui, imitée par son fils :

— J'ai tout entendu ! À ses yeux, tu serais le coupable idéal du meurtre de Catherine ? Non, ce n'est pas possible.

— Ne t'inquiète pas, Anne-Marie. Je n'ai rien à voir avec cette affaire. Tu le sais bien. En plus, j'ai un alibi. Je n'ai pas pu sortir de chez nous avec ma colique. Fidèle peut le confirmer. Il est venu en début d'après-midi et encore le soir pour nous signaler l'absence de Catherine.

— Oui, répond son fils, mais c'était vers dix-neuf heures, le jour du crime. Et tu te sentais mieux.

— Et alors ? J'étais à la maison toute la journée, c'est tout ce qui compte.

— Pas tout l'après-midi. Tu es sorti une petite heure. Tu as dit que tu passerais chez Joseph Homma pour prendre de ses nouvelles. Tu ne t'en souviens plus ? réplique Anne-Marie.

— Ah oui, mais cela n'a aucune importance. Je ne voulais pas embrouiller le commissaire. Enfin, je n'ai fait qu'un aller-retour. Il n'était pas chez lui.

— J'espère que ça ne va pas se retourner contre toi, si ça venait aux oreilles de Scherrer, objecte à nouveau Anne-Marie, anxieuse, le teint livide.

— Ne vous angoissez pas. Je suis resté à la maison toute la journée du vendredi dix-huit. Point final. À vouloir trop en dire, on peut s'attirer des ennuis. D'ailleurs, je vais, de ce pas, voir Joseph Homma.

Il met sa chemise, resserre la ceinture de son pantalon et quitte le domicile après qu'Anne-Marie lui a lancé :

— Sois prudent et ne lui parle pas trop de cette affaire.

Il est près de midi lorsque Antoine déboule chez Joseph Homma, rue des Clés. Il pénètre dans la cour, accueilli par les aboiements du chien et des cris des deux enfants qui jouent avec un cerceau. Joseph, dit Seppi, alerté par l'agitation inhabituelle qui provient de l'extérieur, sort de la maison et reçoit Antoine avec un grand sourire sur le pas de la porte.

— Entre. Tu viens pour m'apprendre la mort de la vieille ?

— Je me doute bien que tu es déjà au courant.

— Tu bois un coup ?

— Un verre de vin, je veux bien.

Il se tourne vers sa femme Thérèse qui est occupée à préparer le repas de midi :

— Femme ! Apporte-nous du vin et deux verres !

Thérèse repose la pomme de terre qu'elle s'apprêtait à peler et s'empresse de remplir un pichet de rouge tiré du tonnelet installé sur un tabouret : la piquette de quelques pieds de vigne plantés sur son terrain.

— Je me demande qui a fait ça, dit Joseph en portant le verre à sa bouche, l'air soucieux.

— Oui, et ce qui est très curieux, c'est que nous avons pensé, il y a quelques jours, comment agir pour qu'elle ne puisse plus se mêler de mes affaires. Eh bien, c'est fait !

94

— Comme quoi, tout arrive ! Ha ha !

Ils se reversent un verre en éclatant de rire sous l'œil critique de Thérèse qui ne peut s'empêcher d'intervenir :

— Arrêtez de rire bêtement ! On ne rit pas d'une morte ! Vous devriez avoir honte !

— Oh, calme-toi, Thérèse ! On ne va tout de même pas pleurer, répond son mari, mis mal à l'aise par la réaction véhémente de sa femme.

Embarrassé, Antoine décide de faire profil bas.

— Tu sais, ce matin, le commissaire Scherrer est venu me voir.

— Ah oui ? Et pour quelle raison ?

— Je fais partie, soi-disant, des personnes suspectées alors que je n'ai rien fait.

— Mais tu avais une bonne raison pour la supprimer, n'oublies pas. D'ailleurs, dès que j'ai eu connaissance du méfait, j'ai tout de suite pensé à toi. On en avait parlé.

— Oui, mais pas jusqu'à la tuer !

Thérèse, une nouvelle fois, se sent obligée de s'immiscer dans la discussion :

— De quoi avez-vous parlé ? D'éliminer la Catherine ? Si les gendarmes vous écoutent, vous êtes bons pour le bagne ! Enfin, j'espère que ce n'était que des mots !

— Mais oui, répond Seppi. Je t'explique : Catherine s'est toujours opposée à la vente de la poterie à Antoine et dans nos conversations, on a avancé quelques idées pour régler le problème. Le décès de Catherine n'était qu'une solution évoquée parmi d'autres. Mais ce n'est pas pour autant qu'il faut prendre nos délires au sérieux. N'est-ce pas Antoine ?

— C'est exact. On en a parlé sans réfléchir. Juste comme ça. Ce qui est étonnant, c'est que mon rêve s'est finalement réalisé.

— On n'a pas le droit de souhaiter la mort de quelqu'un, s'insurge Thérèse.

Après avoir échangé un regard complice, Antoine se lève, salue Thérèse et quitte la maison, suivi de Joseph. Ils se retrouvent dans la cour.

— Dit, Seppi, je veux te demander quelque chose, mais cela m'embête un peu... Euh... Mais ce n'est que pour me rassurer. Euh... Ne le prends pas mal.

— Je te vois venir. Tu veux me demander si c'est moi qui ai tué Catherine ? Non ? Eh bien, tranquillise-toi, ce n'est pas moi. Je n'ai d'ailleurs aucune raison de le faire. Mais, pour être honnête avec toi, j'allais te poser la même question.

— Ce n'est pas moi non plus. Mais celui qui l'a fait m'a rendu un fameux service.

Tout en s'approchant du portillon de la clôture, Joseph glisse à l'oreille d'Antoine :

— Je crois savoir qui aurait pu la tuer.

— Ah bon ? Tu penses à qui ?

— À Ignace Lammert, le garde champêtre. Je l'ai vu le jour du crime, ou plutôt en soirée, à cinq heures et demie, à la sortie du village et non loin du lieu de l'assassinat. Mais comme je n'ai pas plus de preuves, je garde cela pour moi en attendant.

— Tu devrais quand même en parler au commissaire. Enfin, c'est toi qui vois. Allez, salut et bon dimanche !

Chapitre 8

Lundi 21 juillet. Comme tous les lundis, les femmes se rendent aux lavoirs pour la lessive hebdomadaire. Celui à l'arrière de la prison est fort prisé. Il existe aussi des bassins privés que les propriétaires mettent à la disposition des habitants. La présence de lavoirs dans les communes est récente. Depuis 1851, l'État subventionne la construction de ces ouvrages jusqu'à trente pour cent du coût. La population est consciente que le linge sale est un vecteur de nombreuses maladies. La variole, le choléra ou la rougeole font des ravages à cette époque. C'est ainsi que, selon un protocole bien établi, les draps et les gros vêtements de travail pouvaient fort bien n'être lavés que deux fois par an, lors de la « grande lessive ». Les autres pièces, au mieux toutes les semaines. Ce travail, bien féminin, débute dès le samedi à la maison et dans les corps de ferme. Le linge est étalé dans un large baquet en bois que l'on remplit d'eau tiède. Le lendemain, dimanche, on vide et on filtre, à travers une toile de lin, de la cendre réduite en poudre. Enfin, on remplit à nouveau le baquet d'eau chaude. On laisse macérer. Les familles qui ont les moyens utilisent du savon produit chez Ferdinand Mann. Le lundi, soit le troisième jour, le linge est transporté dans des paniers ou sur des brouettes aux lavoirs ou à la rivière. Il est rincé, battu et encore rincé puis essoré et ramené à la maison pour le séchage à plat sur l'herbe ou sur des cordelettes dans un séchoir aménagé au-dessus de la grange.

Le lavoir joue un rôle social. Les femmes, et uniquement elles, se rencontrent habituellement dans une bonne ambiance. Elles profitent de cette occasion pour commenter les nouvelles du quartier, évoquer la naissance du dernier de la fille de la famille ou du décès d'un ou d'une voisine.

Mais, aujourd'hui, les discussions ne sont guère portées sur des événements de la vie courante. L'affaire Catherine Kistler est dans tous les esprits. Il suffit que l'une d'entre elles aborde le sujet, pour que l'ensemble des femmes agenouillées, le dos courbé sur le linge mouillé qu'elles allaient battre, s'arrête subitement et lève la tête. C'est Catherine Schweitzer, la femme du serrurier, qui a lancé :

— On n'a toujours pas trouvé qui a tué la Kistler !

— C'est quand même lamentable. Cette pauvre femme, répond Reine Landwerlin.

— J'ai entendu dire que Xavier Biehler, le tisserand, ne serait pas étranger à cette affaire. Enfin, je dis ça, car sa femme, Agathe, craint qu'il soit interrogé, rétorque la femme Schweitzer.

— Ça arrangerait bien l'Agathe, que son Xavier soit le coupable. Une fois en prison, elle pourra refaire sa vie. N'oubliez pas qu'elle a près de trente ans de moins que lui, rajoute la vieille Thérèse Rietsch.

— Tu y vas un peu fort, Thérèse, elle a quand même trois petites filles à élever, réplique Reine Landwerlin. Mais pourquoi Xavier Biehler ?

— Il était sur les lieux le jour du meurtre avec sa femme pour ramasser, soi-disant, du bois mort dit Catherine Schweitzer. On ne sait pas ce qui s'est réellement passé.

— Je me demande ce qu'il adviendra de la poterie de Fidèle, relance Thérèse Goeb. Vu son âge, il serait étonnant qu'il puisse poursuivre l'activité encore longtemps.

Dans la soirée, de retour de son travail, Xavier Biehler est entendu par le commissaire Scherrer dans la maison du tisserand, rue du Rempart. Harcelé de questions, il maintient, dans ses déclarations, qu'il était effectivement dans les environs du Grundboden, le jour du crime. D'ailleurs, Claude Labiche l'a affirmé, lui aussi, lors de son interrogatoire. Mais, il soutient qu'il avait quitté l'endroit vers cinq heures du soir, la charrette chargée de bois mort. Il ne peut donc pas être l'auteur du méfait qui a eu lieu plus tard.

Le commissaire est sceptique. Il lui rappelle une altercation quelques mois plus tôt, avec Catherine Kistler. Cette dernière s'est illustrée en prononçant des propos diffamants. Elle a accusé Xavier Biehler de ne pas avoir payé les six bols qu'elle lui a livrés. Biehler a nié les faits et l'a traitée de tous les noms d'oiseaux, la menaçant même de représailles si elle ne retirait pas ses paroles injurieuses. Ce qu'elle n'a jamais fait.

Au cours de l'interrogatoire, sa femme Agathe confirme les dires de son mari, précisant, en plus, qu'elle était avec lui et qu'ils n'ont pas vu Catherine Kistler à l'endroit où ils ont ramassé le bois. Cette déclaration laisse le commissaire dubitatif.

— Vous vous défendrez devant le juge. Vous arriverez peut-être mieux à le convaincre, lui !

Scherrer s'en va en prenant, comme à son habitude, un air condescendant qui jette le couple Biehler dans un grand désarroi.

Après le départ du commissaire, Xavier Biehler, tout affolé, ne maîtrisant plus ce qui lui tombe sur la tête, se précipite chez Nicolas Peter l'aubergiste de la place de l'Église.

Là, il trouve Ignace Lammert qui consomme avec Joseph Homma. Il se joint à eux et commande un pichet d'un demi de vin rouge.

— Que se passe-t-il, Xavier ? Tu m'as l'air bien nerveux, s'exclame Homma en le regardant s'installer à leur table.

— Ne m'en parle pas. Le commissaire Scherrer vient à l'instant de me dire que le juge d'instruction va me convoquer. Il me soupçonne d'avoir tué la Kistler. Tu vois l'histoire !

— Tu sais, réplique Ignace, en remplissant une nouvelle fois son verre, si c'est toi vraiment le coupable, tu ferais mieux d'avouer. Tout le monde te remerciera du service que tu leur auras rendu ! Ce sera la dernière sorcière d'Ensisheim que tu auras supprimée ! Ha ha ha !

— Tu es fou, Ignace ! Je n'ai pas tué la Catherine, même si c'était une sorcière !

— Tu auras une récompense, ajoute Homma avec son rire gras et bruyant.

— Ce n'est pas moi, vous dis-je ! J'étais sur place, avec ma femme, pour ramasser du bois mort. Mais on a quitté le Grundboden bien avant l'heure approximative du crime.

Il avale d'un trait le contenu de son verre et s'en reverse un autre qu'il tient bien dans ses mains calleuses.

— Ah, tu vois bien. Tu dis « approximative », donc on ne connaît pas l'heure précise. C'est tout à fait normal que tu sois incriminé puisque tu étais sur les lieux.

— Oui, mais j'y étais bien avant ! Nom de Dieu ! Vous ne comprenez donc pas !

— D'ailleurs, Ignace, suspecte Homma en se tournant vers lui, toi aussi tu te trouvais dans le secteur vers cinq heures et demie. Je t'ai vu au sortir de la ville. On pourrait autant te soupçonner !

Ignace a du mal à se maîtriser. Il rougit, mais tente de garder son sang-froid.

— Qu'insinues-tu ? Je suis garde champêtre assermenté. Je fais appliquer la loi !

— Tu étais sur place ? demande Biehler à Lammert.

— Non, il doit confondre. C'était peut-être un autre jour, mais pas vendredi dernier.

— Ah, Ignace, je ne me trompe pas ! C'était bien toi que j'ai vu, affirme Homma.

— Le commissaire t'a déjà entendu ? questionne Xavier.

— Je ne vois pas pourquoi il devrait m'entendre. Je suis garde champêtre.

— Cela n'a rien à voir. Si tu étais sur place, tu dois en informer le commissaire, rectifie Xavier Biehler.

Agacé, Ignace se tourne alors vers Homma et sur un ton menaçant, il lui déclare :

— Mets-toi ça dans le crâne : je n'étais pas de sortie vendredi en soirée !

Subitement, il se lève, vide d'un trait le fond de son verre et quitte précipitamment l'établissement, les joues rougies par la colère qu'il a du mal à contenir.

Il n'est que sept heures en cette fin de journée. Ignace décide de retourner chez les Rumbach à la ferme Saint-Jean pour leur raconter les avancées de l'enquête. Il passe à la maison, attelle son bourrin à la charrette et, sans dire un mot à sa femme, sort de la cour en claquant un coup de fouet au-dessus du museau de la jument. L'attelage file à Saint-Jean.

Jean Rumbach a perçu de loin le bruit de sabots. Les chiens de Ferdinand Haebig, le fermier voisin, se mettent à aboyer de concert. Ignace Lammert pénètre dans la cour et se dirige vers le corps de ferme des Rumbach. Le maître des lieux, qui est à la porte d'entrée, voit Ignace Lammert qui, juché sur la charrette, tire sur les rênes pour arrêter le cheval.

— Que se passe-t-il ? s'écrie Jean Rumbach. Toi ? À cette heure-ci ? Je suppose que c'est urgent !

Ignace descend de la charrette et suit Jean à l'intérieur de la maison.

— Je pense t'annoncer une bonne nouvelle !

— Si c'est pour ça, tu peux venir tous les jours, se réjouit Jean en lui tapant amicalement dans le dos.

La famille Rumbach, les beaux-parents Vogel et le valet de ferme Davinray, qui est sourd, sont attablés dans la cuisine pour le dîner. Élisabeth Bauer, la servante, s'affaire derrière ses grandes casseroles. Elle s'empresse de mettre sur la table la lourde cocotte contenant le potage fumant de légumes qui a mitonné depuis quelques heures. Sur le feu, crépite encore le lard disposé sur des pommes de terre grossièrement coupées en cubes. Le tout parsemé d'herbes odorantes. Un fumet aromatique et parfumé s'échappe par le couvercle de la grosse marmite qui respire en retrait sur la plaque de la cuisinière.

— Je te sers une assiette de soupe ? demande Madeleine

— Ça sent tellement bon chez vous qu'il serait indécent de refuser. Et puis, avec Élisabeth, vous disposez d'un excellent cordon-bleu.

— Nous n'avons pas à nous plaindre, répond Jean en intercalant une chaise à la tablée. Il est difficile, de nos jours, de trouver du personnel correct. Avec Élisabeth, nous avons déniché la perle rare, n'est-ce pas Madeleine ?

— Sans aucun doute. On ne l'échangerait pour rien au monde… elle est unique !

Élisabeth s'empourpre, car elle a du mal à contenir ses émotions. Elle esquisse un vague sourire et se tourne pour cacher sa timidité. Elle va soulever le couvercle de la marmite pour surveiller la cuisson.

— Alors Ignace, que m'apprends-tu ce soir ? lance Jean, en plongeant la louche dans la soupière pour remplir généreusement l'assiette de son invité.

— Je crois que l'enquête est sur le point d'aboutir.

— Ah bon ! Ils ont trouvé le coupable ? renchérit Madeleine en laissant tomber, par surprise, sa cuillère dans l'assiette de la soupe.

— Non, rectifie Ignace, rien n'est encore fait. Mais j'ai appris tout à l'heure que Xavier Biehler est fortement suspecté. Et, pour ma part, cela ne m'étonne pas.

— Le tisserand ? questionne Jean Rumbach

— Oui, celui de la rue du Rempart.

— Alors là, objecte Jean, le connaissant un peu, je peux mettre ma main à couper, il ne peut pas être l'assassin. C'est impossible !

— Oh ! Tu sais, on peut se tromper sur les gens… glisse Ignace en avalant bruyamment une bonne cuillerée de soupe. Il a été entendu par le commissaire dans la soirée et il doit passer prochainement devant le juge d'instruction.

Madeleine intervient après avoir récupéré sa cuillère dans son assiette :

— Ce n'est pas parce qu'il est interrogé par Scherrer et le juge qu'on peut en conclure qu'il est coupable. Et au fait, pour quelle raison aurait-il tué la Catherine ?

— Je l'ignore, répond Ignace en essuyant négligemment la bouche avec la manche de sa chemise. J'ai appris qu'il a eu un sérieux problème avec la sorcière à cause du paiement d'une marchandise. Enfin, je n'en sais pas plus. Ce sont des bruits qui courent.

— Et toi, on t'a déjà interrogé ? s'enquiert Madeleine sur un ton sarcastique.

— Moi ? Pourquoi moi ? Je suis garde champêtre et assermenté en plus !

— Tu as peut-être aussi des choses à dire, réplique Jean. Rien que sur les égratignures que tu as remarquées sur le visage de Catherine et que tu attribues aux ronces. Tu l'as déjà agressée physiquement, ne l'oublies pas. Toutes ces choses peuvent te causer des ennuis, garde champêtre ou pas, la justice est la même pour tout le monde.

Les Rumbach ainsi qu'Élisabeth Bauer, la servante, sont persuadés de la culpabilité d'Ignace Lammert. D'après eux, il sait trop de choses. L'agression d'Ignace sur Catherine, il y a quelques semaines et la description du corps de la victime alors qu'il ne l'a soi-disant pas vu le jour du meurtre, ne laisse pas de place au doute.

Élisabeth lui sert une tranche de lard et quelques pommes de terre.

Jean Rumbach enchaîne :

— Pour en revenir à Xavier Biehler, j'irai chez le commissaire, demain matin, car il fait fausse route. On ne peut pas accuser un homme d'un crime alors qu'il est innocent et Xavier est innocent. Il est impensable et horrible de laisser condamner un innocent !

— Tu ne sais pas s'il est innocent, réplique Ignace. Pour moi, il est le coupable par excellence.

Jean s'approche alors tout près du visage d'Ignace et le fixe droit dans les yeux sans ciller.

— Si tu veux savoir, et j'en suis convaincu, le criminel se trouve ici. Parmi nous. Dans cette cuisine.

Ignace a du mal à soutenir le regard Jean. Il balaye des yeux le tour de la pièce et s'arrête sur le sourd Davinray.

— C'est lui ? murmure-t-il.

— Il se trouvait dans les écuries à l'heure du drame.

— Alors, qui ?

— Tu dois le savoir ! Non ? Sauve la peau de Xavier. Ne le laisse pas pourrir en prison pour un acte qu'il n'a pas commis. Et tu sais bien qu'il est innocent ! Tu n'as donc pas de cœur ?

— Tu radotes ! J'ignore qui est le coupable !

Agacée, Madeleine intervient :

— C'est toi qui as tué Catherine. Tu étais sur les lieux. Beaucoup de personnes t'ont vu et trop de charges pèsent sur toi ! Tu ferais bien d'avouer.

— Mais vous êtes fous, s'indigne Ignace, ce n'est pas moi !

Son visage se décompose et vire vers une inquiétante pâleur. Il éponge, à l'aide d'un mouchoir à carreaux, les grosses gouttes de sueur qui coulent le long de ses joues blêmes. Le malaise est perceptible. Il est au bord de l'évanouissement.

— Madame Madeleine a raison, intervient Élisabeth, vous devriez dire la vérité, cela vous soulagera. En tant que garde champêtre, vous n'avez rien à craindre. Un garde détient beaucoup de pouvoir dans son triage.

— Non Ignace, il ne vous sera rien fait ; on ne procède pas si violemment à l'égard des gardes champêtres, rajoute Madeleine.

— Mais ce n'est pas moi !

— Je connaissais un garde, à Rouffach, poursuit Élisabeth, qui avait tué un homme. Ben, il a néanmoins été acquitté. C'est vous dire.

Ignace en a assez entendu.

— Je préfère n'avoir pas été l'auteur du crime !

Il se lève d'un bond, prend son képi accroché à une patère fixée à l'intérieur de la porte d'entrée. Au moment où il saisit la poignée, Jean lui lance :

— Tu peux revenir quand tu veux, mais, réfléchis bien. Ne laisse pas accuser un innocent. Ce serait commettre un second crime. Et celui-là est impardonnable !

Ignace Lammert sort de la maison, monte dans sa charrette et retourne chez lui. La nuit tombe lentement et déjà, une nuée d'étoiles habille le ciel. Le silence s'installe petit à petit et tout redevient douceur et quiétude.

En rentrant chez lui, Ignace trouve sa femme affalée sur une chaise de la cuisine, le visage entre ses mains, les yeux rougis, remplis de chagrin. Il a beau lui demander ce qui se passe, ce qui ne va pas. Mais elle n'arrive pas à émettre un moindre son de sa bouche. Ignace s'assied à côté d'elle et se verse un verre de vin. La conversation avec les Rumbach l'a particulièrement secoué. Et maintenant, sa femme pleure pour une raison qu'il ignore. A-t-elle perdu un membre de sa famille ou souffre-t-elle d'une maladie ? Il n'en sait rien.

Au bout d'un moment, elle reprend ses esprits, essuie ses larmes et après un long gémissement, elle parvient à articuler :

— Où étais-tu ?

— Chez les Rumbach, à la ferme Saint-Jean.

— Tu aurais mieux fait d'être là. J'ai eu la visite du commissaire Scherrer.

— Ah bon ? Et que voulait-il ?

— Te voir pour te poser quelques questions au sujet de la mort de Catherine.

Le teint d'Ignace change de couleur. Il devient livide. Il ne comprend pas pourquoi le commissaire souhaite l'interroger.

— Je n'ai rien à dire à Scherrer. Qu'il me laisse tranquille.

— Il passe demain matin. Tu as intérêt à rester ici.

— Mais, pourquoi as-tu pleuré ? Cela a un rapport ?

— Oh oui ! Et un grand rapport. Dans le village, on ne parle que de cette affaire et ton nom circule un peu partout pour en être à l'origine !

Les larmes recommencent à mouiller les yeux de Marie-Anne.

— Mon nom circule ? Mais les gens racontent n'importe quoi ! Tout à l'heure à la ferme Saint-Jean, Jean Rumbach m'a fait la morale pour que j'avoue un crime que je n'ai pas commis ! Tu t'en rends compte ! Et tu sais pourquoi ? Pour innocenter Xavier Biehler ! Voilà pourquoi mon nom est avancé. Non, vraiment je n'ai pas l'intention de défendre un meurtrier ! C'est de la folie !

— Tu n'y es donc pour rien, alors ?

— Puisque je te le dis, je n'ai rien à faire dans cette affaire. Je verrai bien demain. Si les gens racontent des histoires, il est normal que Scherrer passe me voir pour éclaircir son champ d'investigation. Mais ne t'en fais pas, je sais me défendre. Je vais déjà lui donner ma version des faits. Et puis, des suspects, tu en as toute une liste !

— Ah, et à qui penses-tu ?

— Et bien, en premier, à Fidèle, son mari. Catherine l'a houspillé du matin au soir. Il en a certainement eu marre et sur un coup de folie, qui sait, il l'a peut-être tuée. Puis, il y a Antoine. Antoine Fichter, son potier. Souviens-toi, Catherine était le verrou qui empêchait la vente de l'atelier. Il l'a peut-être supprimée pour que cette affaire puisse aboutir. Et tu as encore Joseph Homma, l'ami de Fichter. Celui-là, ça ne m'étonnerait pas qu'il soit impliqué. Lui, pour se défendre, il invente de faux témoignages. Et, j'ajoute qu'il se plairait bien dans les habits de garde champêtre, celui-là ! Enfin, tu as Xavier Biehler. Il a été vu sur les lieux du crime. Le commissaire a de quoi faire avec ceux-là. Qu'il me laisse tranquille ! Je suis garde champêtre assermenté. On ne soupçonne pas un garde assermenté ! Je représente la loi, bon sang de bon sang !

Il est dix heures du soir. Ignace tourne en rond comme un ours en cage. Il sent que l'étau se resserre petit à petit. Rien ne doit être laissé au hasard. Il faut qu'il prépare la confrontation du lendemain.

— Marie-Anne, je dois aller voir Agathe Keller. Elle n'habite pas loin, dans la rue du Bouc.

— Maintenant ? Mais il est déjà tard.

— Oui, c'est très important. Elle et Madeleine Rueff m'ont vu au Rueschfeld, le jour du crime. Elle peut apporter son témoignage. On doit juste s'accorder sur l'heure.

À peine a-t-il terminé sa phrase, qu'il quitte la maison et se dirige à grands pas vers la rue du Bouc. L'air est doux. Seuls quelques chiens aboient à tue-tête au passage d'Ignace ce qui trouble quelque peu la quiétude de cette belle nuit d'été. Les Keller ne sont pas encore couchés. Il entraperçoit à travers les jours des volets fatigués, la lumière jaunâtre et vacillante des bougies qui peinent à éclairer la pièce à l'intérieur. Ignace frappe contre le battant de la porte et attend. Au bout d'un court moment, il entend la voix nasillarde de Xavier Keller :

— Qui est là ?

— Ignace Lammert, le garde champêtre.

— J'arrive.

Xavier Keller, un petit bonhomme rondelet, sort de la maison et s'approche d'Ignace.

— Que se passe-t-il ?

— Désolé, mais j'ai un problème à résoudre d'urgence avec ta femme, Agathe.

— Qu'a-t-elle fait ? Viens, on va la voir. Suis-moi.

Ignace entre dans la maison tout en rassurant Xavier Keller qu'il n'y a rien de grave, mais qu'il veut juste s'entretenir un instant avec Agathe au sujet de l'affaire Catherine Kistler.

Dans la cuisine, il aperçoit Agathe assise sur un banc en train de filer la laine à la lueur d'une lampe à huile posée non loin d'elle.

— Bonsoir Agathe. Désolé de vous importuner à cette heure bien tardive. Mais, je suis désemparé et ma femme est dans tous ses états. Vous n'ignorez pas que des personnes mal intentionnées m'accusent d'avoir assassiné Catherine le dix-huit juillet dernier. Ce n'est que pur mensonge.

— Oui, mais je ne vois pas comment je peux me rendre utile, répond Agathe.

— Vous vous rappelez ce fameux jour, on s'était vus au Rueschfeld. Vous étiez en train de gerber les blés avec Madeleine Rueff sur les champs de Barthélemy Krafft.

— Je m'en souviens bien. Vous avez même fait mine de ne pas me reconnaître.

— En effet, mais ce n'est pas intentionnel. J'ai des problèmes de vue surtout quand le soleil m'éblouit. Je m'en excuse. Mais pour en revenir à mes soucis, je veux prouver à ces colporteurs de rumeurs malfaisantes que je suis innocent. Mais pour cela, je dois démontrer que je n'étais pas sur les lieux à l'heure du crime.

— Où étiez-vous alors ? demande Agathe en le soutenant d'un regard inquisiteur.

— J'étais au Keybengrun Feld, bien loin du Grundboden. Mais hélas, personne ne m'a vu là-bas à ce moment-là. Vous pourriez m'aider. J'en ai déjà parlé à Madeleine Rueff avant de passer chez vous. Elle accepte de dire que je me trouvais avec vous, au Rueschfeld, vers dix-sept heures.

— Je dois donc faire un faux témoignage ?

— Non, il faut juste confirmer, si on vous questionne, qu'on s'est rencontrés à dix-sept heures au lieu de quinze heures. Madeleine est d'accord. Ainsi vous contribuerez à sauver l'honneur et certainement la vie d'un innocent, ajoute Ignace en se frappant la poitrine avec la paume de sa main droite.

— Donnez-moi le temps de réfléchir. Je n'ai pas l'habitude de mentir. De toute façon, on ne m'a pas encore interrogée. Je verrai bien le moment venu.

— Je vous en supplie, pensez à ma femme, pensez à moi. Ne les laissez pas commettre une erreur judiciaire.

— Allez, soyez sans crainte. Scherrer est un commissaire plein de talent. Il découvrira à coup sûr le meurtrier et vous serez mis hors de cause, je n'en doute pas, intervient Xavier Keller qui, en retrait, assiste à la conversation.

— Que Dieu vous entende, balbutie Ignace, la gorge nouée. Merci. Bonne nuit et désolé de vous avoir dérangés.

D'un pas nonchalant, il s'en retourne chez lui. Il espère de tout cœur qu'Agathe lui viendrait en aide le moment venu. Il ignore pourquoi son nom est évoqué dans cette affaire. Pourquoi lui ? Lui, le garde champêtre ? Est-ce par vengeance ? C'est sans aucun doute cela, se dit-il, pour se réconforter. On lui en veut sûrement peut-être pour un procès-verbal mal accepté ou une forte remontrance difficilement digérée. La rumeur est cruelle, voire mortelle. On ignore d'où elle vient, elle est gratuite. Tout un chacun peut en inventer une et la balancer dans la nature dans l'espoir qu'elle sera récupérée pour en faire le délice de langues infâmes et d'êtres diaboliques.

Cela ne fait aucun doute, Ignace Lammert est le personnage central d'une campagne de dénigrement menée par quelques ivrognes ou commères de quartier. Il en est persuadé.

Marie-Anne n'est pas couchée au moment où Ignace rentre chez lui. Elle l'attend avec inquiétude et impatience. Dès qu'il apparaît dans l'encadrement de la porte d'entrée, elle court vers lui.

— Tu as pu voir Agathe Keller ?

— Oui, rassure-toi. C'est réglé. Je lui ai expliqué mon souci. Elle a compris. Maintenant, allons dormir, je suis fatigué. Demain, l'interrogatoire avec le commissaire ne sera qu'une simple formalité.

Dans la soirée, Fidèle Kistler est revenu du cimetière où il a assisté à l'inhumation de Catherine. Pour cette occasion, il a sorti de la penderie un vieux costume noir qu'il a reçu du vivant de son père. Ce costume, il l'a étrenné à son mariage. Depuis, il n'a plus servi. Certes, il n'est plus de la première jeunesse, mais Catherine l'a bien protégé contre les mites. Elle parfumait régulièrement l'intérieur de l'armoire d'herbes sauvages odorantes et répulsives qu'elle cueillait.

Engoncé dans cette tenue qui n'est plus vraiment à sa taille, il a hâte de s'en débarrasser au plus vite et de retrouver un pantalon et une blouse bien plus larges pour se sentir à nouveau à l'aise.

Chapitre 9

Mardi 22 juillet. Le commissaire Scherrer est très matinal. Dès huit heures, il se présente au domicile d'Ignace Lammert, avec le brigadier Jean-Jacques Lang. Marie-Anne, qui l'accueille devant la porte de la maison, n'arrive pas à contrôler ses émotions. Elle montre encore un visage bouffi, signe d'une longue nuit agitée, à pleurer, sans trouver le sommeil. Dans la cuisine, attablé devant un bol de café au lait, Ignace s'efforce à rester impassible. À peine lève-t-il les yeux vers Scherrer. Il a toujours cette inquiétante pâleur qui l'affecte depuis sa dernière visite à la ferme Saint-Jean. Marie-Anne prie le commissaire à prendre place à table, vis-à-vis d'Ignace.

— Monsieur Lammert, je doute bien que ma visite n'est pas la bienvenue. Mais je suis obligé d'interroger toutes les personnes susceptibles de m'apporter des éléments permettant d'éclaircir l'affaire Kistler.

— Oui, je comprends. Excusez-moi pour mon accueil. J'ai très peu dormi la nuit dernière. Je tâcherai cependant de répondre à toutes vos demandes. On vous sert un café ?

— Non, je vous remercie.

Comme à son habitude et pour ne rien oublier, il sort son carnet et son crayon. Il note quelques mots, sur une page, puis s'adresse à Ignace, en présence de Marie-Anne qui est assise sur un banc en léger retrait, se tripotant nerveusement les doigts.

— Monsieur Lammert, vous êtes garde champêtre et à ce titre vous devez bien connaître les comportements et les mœurs d'un bon nombre d'habitants. N'est-ce pas ?

— C'est vrai pour un bon nombre, mais pas tous…

— Avant d'aller plus loin, je veux vous poser quelques questions vous concernant. Où étiez-vous le vendredi, jour du meurtre, disons entre quinze et dix-huit heures ?

Ignace fait mine de réfléchir un instant pour donner plus de crédibilité à sa réponse.

— Ah oui, j'étais à la blancherie, le long de la rivière de la Thur, au lieu-dit : Keybengrun Feld. C'est plus au nord, de l'autre côté de l'Ill, faubourg Ouest, en direction du village d'Ungersheim.

— Je ne vois pas très bien, mais je suppose que c'est à l'opposé du Grundboden.

— Exact, Monsieur le Commissaire, très éloigné même.

— Quelqu'un pourrait-il le confirmer ?

— Oh non, je ne crois pas. Je n'ai croisé personne lors de ma tournée.

— C'est embêtant. Réfléchissez bien.

— Ah ! Attendez ! Vers quatre heures de l'après-midi, je suis allé à l'oseraie. J'y ai rencontré les ouvriers vanniers de chez Munk. Il y avait, Wimmert, Graff et Ehrlich. Après cela, je suis passé au Rueschfeld, aux environs de dix-sept heures. C'est de l'autre côté, à l'est de la ville.

— Plus près du Grundboden ? questionne le commissaire.

— Si vous voulez. Disons à environ trois cents mètres. Mais là, j'ai des témoins avec qui j'ai fait la causette.

— Quelles sont ces personnes ?

— Agathe Keller, la femme de Xavier. Elle habite, rue du Bouc, pas loin d'ici, et, Madeleine Rueff. Elles travaillaient toutes les deux sur les champs de Barthélemy Krafft.

— Donc, si vous vous trouviez à dix-sept heures au Rueschfeld, vous ne pouviez pas être à la même heure au Grundboden.

— Exact, d'autant plus que vers dix-sept heures dix, environ, je me suis rendu à la ferme Saint-Jean.

— Connaissez-vous des personnes qui en voulaient à Madame Kistler au point de la tuer sauvagement ?

— Oui, j'en connais quelques-uns… Il m'est cependant difficile d'avancer des noms. Je ne souhaite pas influencer votre opinion dans un sens comme dans un autre.

— Vous ne m'influencez en rien, soyez rassuré. À qui pensez-vous ?

Hésitant, Ignace se gratte la tête et prend un air gêné.

— Peut-être son mari Fidèle ? Le couple ne s'entendait pas aussi bien que ça. Laurent Blosser, le voisin de la tuilerie, a déjà dû intervenir à maintes reprises lorsqu'ils se querellaient. Ou, peut-être à son ouvrier, Antoine Fichter. Celui-là n'attendait que ça. Qu'elle meure pour qu'il puisse acheter la poterie, car la Catherine s'y opposait. Il y a bien d'autres encore. Elle n'était pas beaucoup appréciée la sorcière !

— J'en ai entendu parler. Mais pourquoi la traiter de sorcière ?

— Parlez-en autour de vous et faites-vous une opinion. Pour moi, cela ne fait aucun doute, c'était une personne malfaisante et, de plus, originaire de Rouffach, la fameuse cité des sorcières.

— D'autres noms à me soumettre ?

— Joseph Homma, je n'y mettrais pas ma main à couper. C'est un bon ami d'Antoine. Et puis, il faut citer Xavier Biehler. Je crois qu'il était sur place à l'heure du crime.

— Je sais. J'ai noté.

Le commissaire Scherrer se tourne vers le brigadier Lang qui, comme le veut le règlement, arbore une belle moustache très soignée :

— Vous voyez autre chose, Lang ?

— Non, pas particulièrement. Examinons d'abord tout cela. Par contre, pour Fidèle Kistler, je demeure très sceptique quant à son éventuelle mise en cause. Il est perdu depuis que sa femme n'est plus avec lui. Je le crois sincère. Tuer sa conjointe à l'âge de soixante-douze ans… dans quel but ?

— On vérifiera. Merci, Monsieur Lammert, pour votre collaboration, dit Scherrer en se levant.

— Je reste à votre disposition si je peux vous être utile, répond Ignace. Je vous raccompagne à la porte.

— On connaît le chemin. Je passerai certainement vous revoir. Bonne journée.

Dès que le commissaire et le brigadier Lang ont quitté les lieux, Ignace se tourne vers sa femme et déclare :

— Tu as vu ? Il ne faut pas se faire de la bile. Quand tu es innocent, tu ne risques rien. Il suffit de dire la vérité.

— Je me sens mieux maintenant, murmure Marie-Anne, encore tout ébranlée par tout ce qui vient d'arriver. Je crois que je vais me servir un petit schnaps pour me remonter.

— Je vais faire de même !

En prenant place dans leur cabriolet, Scherrer se tourne vers le brigadier Lang et lui dit :

— Comment avez-vous trouvé Lammert ?

Lang se saisit du fouet et des rênes puis lance au cheval l'ordre du départ :

— Hue !

Aussitôt, l'animal, à la belle robe noire et brillante, se met au trot, claquant ses sabots sur la chaussée empierrée.

— Il ne me paraît pas très clair, souligne le brigadier Lang. Passer du Keybengrun Feld au Rueschfeld me semble illogique dans l'organisation d'une tournée de surveillance de garde champêtre.

— Vous avez raison, cela m'a également interpellé. Il a encore précisé que les deux endroits sont très éloignés l'un de l'autre. De plus, il est resté sur ses gardes.

— Et soulagé lorsque nous l'avons quitté, rajoute Lang.

— Retournons au bureau pour faire le point et mettre à jour nos notes. Ensuite, je projette de passer à la ferme Saint-Jean, c'est un lieu qu'il fréquente assidûment d'après les témoignages que j'ai pu recueillir. En attendant, envoyez un brigadier chez Agathe Keller et Madeleine Rueff pour vérifier la concordance avec les déclarations de Lammert.

— Je m'en charge immédiatement.

Sur les champs de la famille Krafft, Agathe Keller voit arriver Madeleine Rueff avec un panier en osier en main. Il contient une gourde d'eau, un quart de pain blanc et un morceau de fromage sec, en prévision du repas de midi. Madeleine place la corbeille à l'abri du soleil, sous un immense chêne situé le long d'un chemin de terre. Puis, les deux femmes achèvent le travail d'engerbage du blé. Elles en ont encore pour une bonne journée de besogne et s'emploient donc à la tâche sans attendre.

— Tu ne devineras jamais qui est venu frapper à ma porte hier soir à dix heures.

— Qui ? réplique Madeleine, intéressée, dis-moi vite !

— Le garde champêtre, Ignace Lammert !

— Ah, c'est curieux. Et que voulait-il ?

— Exactement la même chose que ce qu'il t'avait demandé.

Madeleine fronce les sourcils. Elle n'a pas revu Ignace Lammert depuis le fameux vendredi lorsqu'il les avait interpellées sur le champ de blé.

— Je ne vois pas.

— Il m'a informé, hier soir, que tu acceptes de dire qu'on l'a vu vendredi dernier, ici, à dix-sept heures et non à quinze heures.

— Mais quel fieffé affabulateur ! Et pourquoi devrait-on mentir ? Il ne manque pas d'air celui-là !

Agathe lui explique alors le détail de la conversation qu'elle a eue avec Ignace la veille. Il se dit innocent, mais il n'a pas d'alibi.

— Pour ma part, il est hors de question que je raconte des histoires pour lui éviter des ennuis, répond Madeleine, exaspérée.

— Moi aussi, dit Agathe. On l'a vu à quinze heures, ni avant ni après, et puis c'est tout. C'est trop grave tout ça !

Dans la soirée, Antoine Fichter rencontre Fidèle chez lui. Il n'a pas voulu assister à l'inhumation de Catherine, hier, mais il tient tout de même à soutenir son patron et voisin.

— C'est finalement un brave gars, pense-t-il.

En lui ouvrant la porte, Fidèle est ravi de le voir. Il l'accueille avec un large sourire. Il est content de pouvoir enfin parler à quelqu'un.

— C'est gentil de ta part de venir. Ça y est, j'ai laissé ma pauvre Catherine dans une fosse au cimetière.

Puis sur un ton sarcastique, il ajoute :

— Là où elle est maintenant, elle ne fera plus de mal à personne. Qu'ils soient rassurés, tous ces médisants, les malheurs sont à présent derrière eux. Ils vont dorénavant pouvoir nager dans le bonheur. Je suis bien content pour eux.

— Ne pense plus à ça, réponds Antoine, les mauvaises langues alimentent régulièrement les ragots, surtout dans les lavoirs où les femmes adorent bavarder.

— Tu as raison. Entre, je te sers un verre.

Antoine parcourt des yeux les quatre murs défraîchis de la cuisine, l'unique endroit de convivialité. Il constate que rien n'a changé, comme si le lieu est resté figé depuis le départ malheureux de Catherine. La vaisselle s'accumule, pêle-mêle, les vêtements de Catherine traînent par terre et sur les chaises. La table n'est pas desservie. Deux lapins, échappés sûrement d'une des cages du clapier mal fermée, batifolent sous la table à la recherche de restes de nourriture pour calmer leur faim.

— Voilà, une page qui se tourne ! Je ne sais pas comment je vais pouvoir gérer tout cela. Es-tu toujours intéressé par la poterie ?

— Oui bien sûr !

Fidèle remplit les verres de vin rouge à ras bord.

— Comme je n'ai pas d'enfants à qui transmettre le fruit de mes longues années de travail après ma mort, j'ai songé à toi. Je te fais la proposition suivante : tu me verses tous les mois cent cinquante francs et tout ce que tu vois là, atelier y compris, est à toi. Qu'en penses-tu ?

— Je devrais en vendre de la vaisselle ! Si tu descends à cent trente francs, je marche.

Fidèle réfléchi. Il se lève, croise les mains derrière son dos et s'avance vers la petite fenêtre qui donne sur le jardinet. Après un long moment de réflexion, il se retourne vers Antoine et lui annonce :

— Tu sais, j'ai soixante-douze ans. Je ne vais pas vivre éternellement. Dans quelques années, je rejoindrai ma Catherine et toi tu n'auras plus d'obligations envers moi. Tu auras fait une sacrée bonne affaire ! Mais bon, soit ! J'accepte les cent trente francs. Tu auras la jouissance de la poterie à la date de la signature de l'acte chez le notaire. Cependant, je reste dans la maison jusqu'à ma mort.

— Parfait Fidèle, merci. J'ai hâte d'annoncer la nouvelle à ma femme. Elle sera plus que contente !

— Allons, trinquons !

Ils lèvent le verre et d'un seul trait, en avalent le contenu.

— Je vais te laisser. Je rentre chez moi annoncer la bonne nouvelle à Anne-Marie. !

— Attends ! s'exclame Fidèle. Pas si vite !

Antoine revient sur ses pas.

— Pourquoi ?

— Non, ne dis rien à ta femme, du moins pas pour l'instant. J'ai quelque chose qui coince.

— Qu'est-ce qui bloque ? La seule personne qui a empêché la vente de l'atelier n'est plus de ce monde. Alors, je ne sais pas ce qui peut encore nous empêcher de conclure.

— Au fond, par ricochet, c'est toujours elle ! Mais là, elle n'y peut rien.

— Comment ça ? Explique-toi !

— Avant de passer devant le notaire, je veux que l'assassin de Catherine soit démasqué.

— Je ne vois pas en quoi le meurtrier peut interférer dans les termes de notre accord.

— Tu ne réalises pas ? Imagine un seul instant que c'est toi le coupable.

— Moi ? interrompt, Antoine. Moi ? Mais tu es fou ! Tu ne vas quand même pas croire cela. J'ai une femme et trois enfants à nourrir !

Je ne vais pas risquer de me compromettre dans un meurtre et finir ma vie en prison ! Et, en plus, je serai le premier à être soupçonné. Non, Fidèle, tu fais fausse route ! Tu me déçois énormément.

— Mais plusieurs personnes te suspectent déjà ! Bon, laisse-moi poursuivre mon raisonnement et écoute la suite. Toujours dans l'hypothèse où tu es l'assassin, tu rachètes l'atelier en me versant une rente mensuelle. Mais au bout de quelques mois, je deviens gênant et coûteux à tes yeux. Alors, des idées morbides, comme celles qui t'ont guidé à commettre l'irréparable avec Catherine, vont à nouveau germer dans ta tête… En revanche, si tu es innocent, tout change et j'aurai entièrement confiance en toi et nous pourrons passer à l'Étude de Maître Halm.

— Arrête ! Je crois que le deuil t'a complètement fait perdre la boule ! Je te laisse, j'en ai suffisamment entendu. On en reparlera demain matin quand tu seras dans un état normal ! Salut, à demain à l'atelier.

Antoine bouillonne de colère. Une nouvelle fois, tout s'effondre alors qu'il était sur le point d'aboutir. Il sort en claquant la porte de rage.

Fidèle reste assis, stoïque. Il se sert encore un verre et regarde autour de lui. L'horloge accrochée dans la cuisine ne donne plus l'heure, car depuis l'absence de sa femme, il ne l'a plus remontée. Il le fera demain, il n'a plus la force ni l'envie ce soir.

Soudain, il entend gronder le tonnerre. Il se dirige vers la fenêtre entrouverte et contemple le ciel qui s'illumine à chaque éclair. Puis il implore, les bras levés :

— Catherine, de là où tu te trouves, préserve-nous des violences de la tempête. Je t'en prie !

Il se signe et va s'assurer que toutes les fenêtres et les volets sont fermés. Les deux lapins, qui couraient allègrement tout à l'heure, ont détalé, sous le buffet de la cuisine, effrayés par tout le vacarme extérieur.

— Je dois les remettre dans leur cage demain. Maintenant, je ne les attraperai plus. Je n'en peux plus. Éreinté, il va se coucher.

Il n'a plus eu la volonté de se déshabiller et de revêtir la chemise de nuit, ni d'éteindre la lampe à huile. Il s'est avachi sur le lit sans demander son reste.

En très peu de temps, il s'est endormi, fatigué par les dures épreuves subies ces derniers jours. Au-dehors, la pluie tombe de plus en plus fort et le ciel est illuminé en permanence par les éclairs qui surgissent dans la nuit noire.

Mais Fidèle n'entend plus rien, il ronfle !

Mercredi 23 juillet, Jean Rumbach, le fermier de Saint-Jean, demande à voir le commissaire Scherrer. Il veut lui apporter d'importantes informations susceptibles de l'intéresser et qui concernent le meurtre de Catherine Kistler.

Lorsqu'il fait face au commissaire, il hésite un court instant, puis se lance. Il lui raconte en détail les troublantes conversations qu'avait tenues Ignace Lammert chez lui à la ferme. Il précise aussi que Xavier Biehler ne peut être l'auteur du crime. Il a quitté les lieux bien avant l'heure de l'homicide. Sur ce point, Scherrer le rejoint. Des témoins l'ont aperçu, avec sa femme et son fils, rentrer à son domicile, rue du Rempart, un peu après dix-sept heures, tirant une charrette remplie de bois morts. Par contre, les déclarations de Rumbach, sur Ignace Lammert, requièrent toute son attention. Il saisit une plume qu'il trempe aussitôt dans l'encrier et consigne sur une page blanche les propos tenus par Jean. Son procès-verbal d'audition achevé, Scherrer lit à haute voix le texte qu'il vient de rédiger. Puis, il lève les yeux en s'adressant à son interlocuteur :

— Vous confirmez tout cela ?

— Oui, c'est exactement ça, répond Jean, le cœur soulagé par ses révélations.

— Vous signez là, en bas.

Il lui tend la feuille et la plume. Jean, qui n'a pas l'habitude de se servir d'une plume avec ses gros doigts, s'applique à poser son paraphe sur le document.

— Monsieur Rumbach, vous venez de me conforter dans mes certitudes. Je ne vous en dis pas plus, secret professionnel oblige. Le juge pourra vous convoquer s'il le décide. Demeurez à sa disposition. Je sais que la période est mal choisie, en pleine saison des récoltes, mais c'est un acte civique qui vous honorera.

Il le raccompagne jusqu'à la porte et lui serre chaleureusement la main.

— Merci, Monsieur Rumbach. On aura encore l'occasion de se revoir. Le bonjour chez vous !

Jean Rumbach sort du bureau, rassuré que Xavier Biehler soit rayé de la liste des suspects. Il s'inquiète néanmoins des réactions d'Ignace Lammert s'il apprend qu'il vient de déposer à charge, car ce dernier est impulsif et violent. Tout le monde le sait. Rumbach redoute que sa femme ou Élisabeth, la servante, fassent l'objet de représailles. Il ne connaît pas les limites d'Ignace. Pour lui, il a l'intime conviction qu'Ignace a tué et rien ne l'empêchera, dans un moment de délire, de récidiver.

Le paysan monte sur sa jument et, au galop, fonce chez lui à la ferme prévenir sa famille et les ouvriers agricoles.

L'enquête avance à grands pas. Le commissaire Scherrer est satisfait de ses investigations et des premiers résultats.

Pendant que Scherrer consulte ses notes, le brigadier Jean-Jacques Lang entre dans son bureau.

— Commissaire, je vous apporte du nouveau !

— Décidément, c'est la journée !

Le brigadier s'installe au bureau de Scherrer, et ouvre son carnet de procès-verbaux.

— Voilà, annonce-t-il, en se raclant la gorge, Lammert nous enfume. C'est un personnage important à Ensisheim, craint par une grande partie de la population. C'est aussi, un agent assermenté. Mais… Un fieffé menteur !

— Vous m'étonnez, répond le commissaire. Et qu'est-ce qui vous fait dire cela ?

— Il nous a affirmé, si vous vous en souvenez, qu'il était, vendredi dix-huit juillet à dix-sept heures au lieu-dit : Rueschfeld. Je suis allé vérifier auprès des deux femmes qui y travaillaient à ce moment-là et avec qui Ignace aurait, soi-disant, échangé quelques mots. La première, Madeleine Rueff, prétend que Lammert est passé vers quinze heures et non à dix-sept heures comme il dit. La seconde, Agathe Keller, a non seulement confirmé les affirmations de Madeleine, mais en plus, elle a reçu la visite d'Ignace Lammert, lundi vers vingt-deux heures ! Il voulait qu'elle nous mente et raconte qu'il était avec elles à dix-sept heures ! C'est un comble !

— Il signe là sa perte ! Tentative de subornation de témoins ! s'exclame Scherrer. Je m'en doutais. Merci brigadier. Vous avez fait un excellent travail. Je vais saisir le procureur de la République et déposer les premiers résultats de l'enquête. Vous me communiquerez vos rapports et procès-verbaux que je joindrai au dossier.

Pour le commissaire Scherrer, la journée a été bonne. Mais il veut encore exploiter d'autres pistes, quoiqu'en son for intérieur, il pense détenir le coupable.

Dans les rues du village, les conversations vont bon train. La rumeur enfle de jour en jour. Le nombre de femmes double aux lavoirs les lundis matin, rien que pour se tenir au courant des rebondissements sur l'affaire. Le maire Dangel reste sensible aux ragots qui circulent et qui mettent gravement en cause son garde champêtre. Il décide de le convoquer en mairie pour le lendemain matin.

L'entretien ne dure qu'une quinzaine de minutes. Ignace reprend ses arguments, ses alibis et clame, haut et fort, qu'il est innocent et que les soupçons sont totalement infondés, voire diffamants. Le magistrat municipal est convaincu qu'Ignace Lammert est honnête puisque, au fond, il n'a aucune raison de tuer cette vieille femme. Il lui garde toute sa confiance et l'encourage à poursuivre son travail comme si de rien n'était. Les gens se lasseront par eux-mêmes.

— Monsieur le Maire, dites au commissaire et aux gendarmes que je suis innocent ! Vous êtes aussi officier de police. Faites quelque chose pour moi, je vous en prie ! Aidez-moi !

— Mes pouvoirs sont limités, mais j'en toucherai un mot à Scherrer. Il n'est pas facile, celui-là.

En l'accompagnant à la porte, le maire lui tape amicalement sur l'épaule et lui souhaite bon courage.

Ignace sort du bureau du maire un peu plus rassuré. Mais dès qu'il retrouve la rue, il sent que l'ambiance n'est plus la même. Certaines personnes, avec qui il conversait régulièrement, se détournent de lui ou font mine de ne pas le voir. Il n'est finalement à l'aise que dans les champs, les forêts, les prés et aux bords des rivières et ruisseaux. La nature l'accepte tel qu'il est, sans lui faire le moindre reproche. La solitude lui apporte du bien-être, il est en harmonie avec elle. Il a hâte de retrouver cet environnement de liberté et de quiétude.

Il active le pas pour quitter au plus vite la Grand-rue et bifurquer à gauche, avant le pont de l'Ill. Il jette un œil sur les vignes plantées le long de la prison et poursuit son chemin en longeant la rivière. À proximité du Grundboden, il s'assied à l'ombre d'un gros chêne. Il ferme les yeux et écoute le bruissement des feuilles que caresse une légère brise parfumée. Alors qu'il se laisse bercer, en parfaite osmose avec la nature, il est perturbé subitement par une image horrible. Il croit voir le visage tuméfié de Catherine. Il a l'impression d'entendre sa voix qui hurle de douleur. Il ouvre les yeux et se lève d'un coup, terrifié par la cruauté de cette vision. Les traits de son visage se figent et son teint prend un aspect cadavérique. Était-ce vraiment une hallucination ? Catherine, de là où elle est, a-t-elle décidé de le persécuter pour le restant de sa vie ? Il se met à trembler et à suer à grosses gouttes. Il se tourne et regarde autour de lui pour s'assurer qu'il est bien seul. Il avance vers la rivière et se baisse avec prudence pour tremper son mouchoir dans l'eau. Il s'essuie longuement la figure et se rafraîchit la nuque.

— Ça ne va pas Ignace ?

Ignace sursaute et se retourne brusquement. C'est Joseph Miesch, le garde de la ferme Saint-Georges qui l'interpelle du haut de son vieux cheval gris.

— Ah, c'est toi ! Ça va. Je crois que j'ai eu un petit malaise, mais cela va mieux maintenant.

— Tu ne devrais pas faire tes tournées à pied, surtout par une chaleur pareille.

— Tu sais que je ne peux pas monter sur un cheval. Je ne tiens pas sur une selle.

— Tu es bien pâle. Je vais te raccompagner chez toi, c'est plus prudent.

— Non, ça ira. Par contre, je prendrai bien une bière chez Sommerhalter. Tu me suis ?

— Je veux bien, j'avoue que j'ai également soif. Ma gourde est vide depuis bien longtemps. Attends, je descends du cheval et on y va à pied.

Les deux déambulent lentement vers le bourg. Joseph Miesch tient les rênes de son cheval et Ignace Lammert se cramponne, de temps en temps, à la selle pour ne pas chuter.

— Je vacille encore. Je ne sais pas ce qui m'a pris tantôt.

— Je suppose que c'est la chaleur. Je vois aussi que tu n'as pas de gourde ! Ce n'est pas bien prudent par un temps pareil !

— Je n'ai pas l'habitude. J'y veillerai la prochaine fois.

Joseph Miesch enchaîne :

— J'ai appris qu'on te soupçonne du meurtre de Catherine et que tu fais figure de pestiféré dans le village.

— Ah, tu sais déjà ? Les nouvelles vont vite et loin, même jusqu'à Saint-Georges, pardi !

Chapitre 10

Jeudi 24 juillet. La procédure s'accélère. Le commissaire Scherrer arrive chez le juge de paix, Ignace Meyer, les bras chargés de deux volumineux dossiers qu'il a hâte de déposer sur le bureau du magistrat.

— Alors, commissaire, vos conclusions sur cette affaire ?

— De tous les suspects que j'ai interrogés, il ne fait aucun doute, le coupable est Ignace Lammert, le garde champêtre de la ville. Je vous laisse mon rapport avec les procès-verbaux des auditions que j'ai menées et ceux relevés par les gendarmes. Vous pourrez ainsi vous en faire une idée.

— Je connais bien Lammert. Il a déjà témoigné dans de nombreuses affaires bénignes, en sa qualité de garde champêtre bien sûr. Je vais consulter vos dossiers et les transmettre rapidement au procureur de la République à Colmar. Je considère que cette affaire revêt un caractère d'urgence du fait qu'elle implique un agent assermenté, un serviteur de la loi !

— Je vais en informer le maire, Jean-Baptiste Dangel, son supérieur hiérarchique.

— Oui. Étant donné que vous êtes rétribué par la ville, c'est normalement à vous d'intervenir auprès de lui et dans les meilleurs délais. Ignace Lammert doit être révoqué de toutes ses fonctions, du moins provisoirement et à titre conservatoire. Je vous remets également une note concernant le dénommé Homma. Il est gardien de nuit à la commune. Lors d'un interrogatoire, il m'a tenu des propos injurieux et agressifs que je ne peux tolérer. Je crois qu'il était sous l'emprise d'alcool. Mais cela ne fait rien, qu'il sache qu'il est allé trop loin. Ce papier est à donner au maire. Je demande la révocation de ce personnage.

— Bien, Monsieur le Juge, je m'en charge.

À peine a-t-il quitté le juge, que Scherrer monte sur son cheval noir et fonce à la mairie. Il est bientôt midi et il n'est pas sûr que le maire est encore dans son bureau. Tant pis, il tente toutefois de s'y rendre, car l'affaire est trop importante. La commune ne peut pas laisser un assassin faire la loi.

— Dieu merci, s'exclame-t-il en arrivant sur la place de l'Église, son cabriolet parque encore à proximité des arcades de l'ancien palais de la Régence.

Il descend rapidement de son cheval et l'attache à un anneau scellé dans le mur du bâtiment communal. Il monte quatre à quatre les escaliers en colimaçon. Parvenu à l'étage, il demande, au secrétaire Deninger, à voir le maire. Ce dernier qui s'apprête à partir pour déjeuner regarde d'un mauvais œil l'irruption inopinée du commissaire. Sur un ton quelque peu agacé, il lui dit :

— Le maire va partir. Il doit encore visiter un malade à domicile puis déjeuner avant de reprendre ses consultations. Alors, si votre affaire peut attendre jusqu'à demain, cela conviendra à tout le monde et lui en priorité.

— Désolé, c'est trop urgent ! Cela concerne le meurtre de Catherine Kistler. J'apporte de nouveaux éléments qu'il doit absolument connaître. Annoncez-lui ma présence et l'objet de ma demande.

Le secrétaire de mairie, devant l'insistance du commissaire, n'a pas le choix. Il s'empresse de le prévenir.

— Mon cher Scherrer, qu'avez-vous d'aussi impérieux à me raconter ? s'exclame le maire en sortant de son bureau et se dirigeant vers Scherrer pour lui serrer la main.

— Je suis désolé d'empiéter sur votre temps, mais ce que j'ai à vous dévoiler est d'une extrême importance.

— Si vous le dites… Venez, entrez dans mon cabinet, mais essayez d'être bref. Je suis pressé. Prenez place.

Après un court instant de silence, le commissaire déclare avec solennité :

— Monsieur le Maire, ce que je vais vous annoncer est d'une énorme gravité. Il est question de votre garde champêtre.

— Ah, d'Ignace Lammert ?

— Oui, exact. Vous n'ignorez pas que, depuis la découverte du corps de Catherine Kistler, je mène mon enquête avec sérieux et en toute objectivité. J'ai tout mis en œuvre, avec les moyens dont je disposais, pour éclaircir cette affaire et trouver enfin son issue. La gendarmerie a participé efficacement à l'enquête qui, pour ma part, est achevée. C'est désormais aux magistrats de poursuivre les investigations s'ils le jugent nécessaire et de prendre la décision de faire comparaître l'individu aux Assises.

— Vous voulez me dire que vous avez résolu ce meurtre et découvert le nom du coupable ?

Le commissaire bombe son torse laissant apparaître une certaine suffisance et, sur un ton solennel, répond :

— Oui, Monsieur le Maire. Le criminel est… Ignace Lammert.

Atterré, Dangel se laisse tomber dans son fauteuil. Il ferme les yeux, un court instant, puis se ressaisit.

— Ce sont des bruits qui circulent dans le village. N'avez-vous pas pu être influencé par la rumeur ? Je ne vous cache pas, je n'y ai jamais cru.

— Non ! Ce n'est pas ma façon de procéder. J'ai un dossier complet déposé chez le juge de paix, avec les procès-verbaux des auditions et des dépositions que l'on a pu recueillir tout au long de l'enquête. Je ne peux pas entrer dans les détails pour l'instant.

— Il est au courant ?

— Non, pas encore, mais cela ne saurait tarder. C'est le brigadier Lang qui va se charger de le prévenir.

— Il sera arrêté ?

— C'est le procureur qui décidera en toute connaissance de cause. Cependant, pour la bonne marche de l'enquête et pour éviter toute tentative de subornation de témoins, il sera probablement mis en cellule à la gendarmerie.

— Je n'en reviens pas… Je suis abasourdi. Ignace, un assassin ! Il m'a affirmé hier dans ce bureau même qu'il est innocent. Tout ça en me regardant droit dans les yeux ! Ce n'est pas possible !

— C'est un réflexe normal et humain, répond Scherrer.

Il sort une enveloppe de sa poche et la tend au maire.

— Ah ! Tenez un mot de la part du juge qui concerne aussi Joseph Homma. Le juge demande que vous saisissiez d'urgence le préfet du Haut-Rhin pour qu'il prenne un arrêté pour la révocation des fonctions de garde champêtre, pour Lammert, et de gardien de nuit pour Homma.

— Homma est aussi impliqué dans cette affaire criminelle ?

— Non, mais il a manqué de respect au juge. D'après lui, il était alcoolisé.

Le maire lève les yeux au plafond et pousse un long soupir d'exaspération.

— Je vais accomplir la démarche auprès du préfet, mais je veux maintenir Homma dans son emploi, je ne peux pas me défaire d'un agent de surveillance de cette qualité. Le remplacer sera difficile.

— C'est à vous de voir. Je reste, tout comme le juge de paix, à votre disposition pour vous apporter toute l'aide nécessaire dans vos procédures administratives. Je vous remercie de m'avoir reçu. Vous voyez que cela n'a pas été long !

— Non, mais violent, riposte le maire encore sous le choc après ces cruelles révélations.

Fidèle Kistler et son ouvrier Antoine Fichter reprennent le travail dans l'atelier de poterie. Certes, l'ambiance n'est pas au beau fixe et les conversations sont rares. Le matin, Fidèle remet les deux lapins apeurés dans le clapier avec l'aide d'Antoine. Il ramasse l'herbe étalée dans un coin du jardinet et la répartit dans les quatre cages. Antoine se charge de remplir d'eau fraîche les coupelles qu'il a placées dans chaque cage. Ensuite, il puise quelques seaux pour l'auge du cheval et complète la mangeoire avec un reste de foin.

La production de poterie peine à avancer. Elle ne permet pas d'aller au marché vendredi prochain. Et d'ailleurs, qui va succéder à Catherine pour assurer cette charge ?

Fidèle se rend compte de la précieuse aide que lui a apporté Catherine de son vivant. C'était une battante malgré son aspect frêle. Qui peut bien la remplacer, rumine Fidèle, le nez sur son tour. Un remariage est exclu, il n'en est pas question. Il n'a pas d'enfants à élever et il n'est plus tout jeune. Il peut donc se passer d'une nouvelle femme. Mais, par contre, pour tenir le commerce et nourrir les bêtes, une aide est la bienvenue. Il en parle à Antoine.

— Comment faire pour écouler notre vaisselle désormais ?

— Je n'en sais rien, c'est toi le chef, répond laconiquement Antoine.

— J'ai songé à ta femme. Qu'en penses-tu ?

— Tu es vraiment gonflé ! Elle s'en occupera certainement lorsqu'elle sera la femme du patron. Mais d'ici là, comme tu ne souhaites pas encore me céder l'atelier, tu devras patienter. Voilà, c'est aussi simple que ça !

— Je crois qu'on peut faire affaire. Hier soir, Laurent Blosser est passé me voir et m'a donné des nouvelles de l'enquête. Ignace Lammert va être arrêté très prochainement pour crime ! Ça se raconte en ville, rapporte Fidèle.

— Ça se raconte, mais rien n'est sûr. Mais si ça se confirme, je serai soulagé. Quand je vais au bistrot, pour boire une chope, j'ai l'impression que tout le monde me regarde, comme si j'étais le coupable.

— C'est exact que tu es le coupable idéal. Tu avais un sérieux motif, mais ton petit problème intestinal t'a sauvé. Je t'avoue que j'ai eu, moi aussi, un sérieux doute, mais après réflexions, il est vrai que tu n'as pas pu te trouver au Grundboden à l'heure du meurtre. Et affaibli comme tu étais, je t'imagine mal tuer ma Catherine. J'ai un peu honte de t'avoir soupçonné. Le commissaire a bien compris que tu n'avais rien à voir avec cette affaire. Je te présente mes sincères excuses.

Des filets de larmes coulent sur ses joues émaciées. Il sort un carré de tissu de son vieux tablier et s'y mouche bruyamment.

Antoine se lève doucement, s'approche de lui et lui tend chaleureusement la main en guise de réconciliation.

— Allez, on oublie tout. Je me suis comporté comme un idiot avec toi. Chacun de nous endosse sa part de responsabilité dans tout ce qui vient de se passer. Tu as raison, je n'ai pas porté ta Catherine dans mon cœur, mais je connais mes limites. Jamais je n'aurai fait une chose aussi horrible. Je ne suis pas un meurtrier et je suis heureux que tu t'en sois rendu compte.

— Demain, j'irai voir le notaire pour qu'il rédige l'acte de vente.

— Si tu veux, je t'accompagne. Je dois lui emprunter l'argent pour conclure l'affaire.

— On fermera l'atelier ! Allez, viens avec moi à la cuisine, on va fêter ça !

— Attends, je cherche ma femme !

Vendredi 25 juillet. Le juge, Ignace Meyer, a analysé attentivement l'ensemble des pièces du dossier de Scherrer. Il est convaincu de la culpabilité d'Ignace Lammert. Il ordonne son arrestation et sa mise en détention dans la chambre de sûreté à la gendarmerie d'Ensisheim. Il en informe le procureur.

Le lendemain matin, à sept heures, les brigadiers Jean-Jacques Lang et Auguste Silbermann se présentent au domicile d'Ignace Lammert.

La femme d'Ignace leur ouvre la porte. Dès qu'elle voit les deux gendarmes, elle comprend immédiatement : ils viennent pour chercher son mari. Elle pousse un bref cri et s'effondre en larmes :

— Non ! Non ! Vous ne pouvez pas me prendre mon mari ! Il est innocent ! Laissez-le !

Alerté par les hurlements, Ignace arrive, son visage blêmit, sa gorge se serre à la vue des deux militaires. Il a du mal à parler, il sait ce qui l'attend.

— Vous n'avez pas le droit de m'arrêter puisque je suis innocent. Vous entendez ! Vous commettez une grossière erreur !

Le brigadier Jean-Jacques Lang donne lecture de l'ordonnance du juge, et l'informe de sa mise en détention provisoire à la gendarmerie. Il tente de rassurer la femme de Lammert en lui expliquant qu'il n'est mis à l'isolement qu'à titre provisoire et dans l'attente de vérifications d'éléments nouveaux qui permettront soit de confirmer soit d'infirmer sa culpabilité.

— Mais, je suis garde champêtre ! Vous outrepassez vos droits !

— C'est le juge qui décide Monsieur Lammert. Ne faites pas d'histoires. Vous devez nous suivre ! insiste le brigadier en sortant de sa poche une paire de poucettes, un instrument d'entrave dans lequel on insère les pouces.

En apercevant les entraves, Ignace se met à hurler :

— Vous n'allez pas me mettre ça ! C'est déshonorant pour moi et pour ma femme ! J'accepte de venir avec vous, mais, de grâce, épargnez-moi cet affront !

— On se connaît depuis des années, réplique Silbermann, je vous fais confiance. Je veux bien faire une entorse au règlement. Mais jurez-moi que tout se passera bien. On ne souhaite pas d'histoire !

— Je vous promets, balbutie Ignace d'une voix tremblante, à peine audible.

Puis il se tourne vers Marie-Anne et lui murmure :

— Ne te fais pas de souci, ils seront bien obligés de me relâcher. Je vais les suivre, mais rassure-toi, je serai vite de retour.

Il prend sa femme dans ses bras quelques instants en lui chuchotant à l'oreille :

— Ne t'inquiète pas... Je reviendrai... Ne t'inquiète pas...

Au bout d'un moment, Silbermann lui pose la main sur l'épaule et lui dit :

— Allez, suivez-nous maintenant. Le juge vous attend. Votre femme vous apportera vos effets personnels au courant de la journée, n'est-ce pas madame ?

— Oui… Oui, je le ferai sans faute.

Elle dissimule mal sa tristesse dans son visage couvert de larmes.

Ignace se tourne une dernière fois vers Marie-Anne et tout en lui caressant la joue, il lui répète :

— Je reviendrai vite. Tu verras, très vite.

Puis, il s'adresse aux gendarmes sur un ton détaché :

— Je suis prêt à vous suivre. Allons-y !

Ils montent tous les trois dans le fourgon cellulaire, prêté pour la circonstance, par l'administration pénitentiaire de la prison d'Ensisheim. Ignace est isolé dans l'un des compartiments à l'arrière du fourgon tiré par un impressionnant bourrin. Malgré toutes les mesures prises pour que l'arrestation se déroule le plus discrètement possible, la présence du fourgon cellulaire devant la maison d'Ignace Lammert déclenche un modeste attroupement et ravive irrésistiblement les commérages dans les rues de la petite ville.

Marie-Anne se sent humiliée. Elle ferme les volets pour s'isoler. Les médisances du voisinage la blessent. Elle sait que beaucoup de gens se réjouiront lorsqu'ils apprendront qu'Ignace séjourne dans la chambre de sûreté. C'est un garde champêtre zélé, trop même. Et ça, les gens n'aiment pas beaucoup. Il s'est fait beaucoup d'ennemis en voulant faire respecter la loi. Elle crie à l'injustice, mais qui s'en soucie ?

Le fourgon arrive au tribunal cantonal, dans le faubourg Est, puis pénètre dans la cour arrière. Ignace descend du véhicule, encadré par les deux gendarmes. Ils se dirigent, tous les trois, vers le cabinet du juge de paix, Ignace Meyer, qui les attend. À côté de lui, assis en retrait, Jean-Baptiste Fellmer, greffier, affûte les plumes et remplit l'encrier. Ignace s'assied face au magistrat alors que les deux gendarmes restent debout, l'un devant la porte du bureau et l'autre entre les deux fenêtres qui éclairent la pièce. L'atmosphère est suffocante et tendue.

Ignace a de plus en plus de mal à répondre aux interrogations du juge. Les questions arrivent trop vite, ses réactions s'embrouillent. Au bout d'un moment, il ne sait plus… Dans sa tête, subitement, un trou noir l'empêche de réagir. On lui sert un verre d'eau et on le laisse quelques instants pour qu'il reprenne ses sens.

Le juge décide de le confronter à Louis Ehrlich, un des ouvriers de la vannerie Münk qui travaillait dans l'oseraie le jour du meurtre. Il l'installe à son bureau, juste à côté d'Ignace, puis il se lève et se dirige vers la bibliothèque vitrée. Il fait mine de choisir un livre ou un code de lois, mais dans le reflet de la vitrine, il observe Ignace qui profite de ce moment, pour communiquer avec Ehrlich et lui chuchoter à deux reprises :

— Un beau pourboire… Un beau pourboire…

Le juge se retourne et s'assied à son bureau sans dire un mot de la scène dont il a été témoin.

Le jeune Ehrlich reste impassible. Il attend d'être interrogé.

— Monsieur Louis Ehrlich, vous occupez un emploi de journalier pour le compte de la vannerie Münk et, selon Monsieur Lammert, il vous aurait rencontré au Grundboden, à l'oseraie, le vendredi dix-huit juillet. Est-ce exact ?

— Oui, c'est exact, Monsieur le Juge.

— Dans quelles circonstances l'avez-vous vu, et vers où se dirigeait-il ?

— Il était environ cinq heures de l'après-midi. Je coupais des tiges d'osier au Grundboden. J'ai vu Lammert qui marchait vers la ferme Saint-Jean.

— En êtes-vous sûr ? Il n'allait donc pas vers le village ?

— Non, non, j'en suis sûr.

— C'est faux, objecte Ignace, à cinq heures, je n'étais plus au Grundboden, mais au village !

— Mes autres compagnons de travail pourront confirmer mes dires, Monsieur le Juge, poursuit Ehrlich.

— Monsieur Lammert, pourquoi refusez-vous de reconnaître les déclarations de Monsieur Ehrlich ? Je suis persuadé qu'il dit la vérité.

— C'est faux ! Ce n'est que mensonge, réfute furieusement Ignace Lammert.

— Alors, pourquoi avez-vous essayé de le soudoyer tout à l'heure ?

— Comment ça ?

— Je vous ai bien observé dans le reflet de la vitre de la bibliothèque. Ne niez pas ! D'ailleurs, vous avez l'habitude de corrompre les témoins !

Ignace Lammert décontenancé ne sait plus comment réagir. Il décide finalement de ne plus répondre aux questions.

— Je vous rappelle aussi que vous étiez intervenu auprès d'Agathe Keller dans le même but, celui de la faire mentir sur l'heure de votre rencontre au Rueschfeld ! Tout est consigné dans les rapports que j'ai sous les yeux.

Il compulse quelques pages du dossier et en extrait une feuille.

— Ah, tenez ! Une autre déclaration. Celle de Homma, cette fois-ci ! Il vous a vu vers dix-sept heures trente au sortir de la ville non loin du lieu du crime.

— Je veux un avocat ! Je ne répondrai plus à aucune de vos questions ! rétorque Ignace avec virulence.

Il est au bord de la dépression.

— Je vais en aviser le procureur de la République. Je vous place provisoirement en cellule dans la chambre de sûreté. On va vous y transférer sur-le-champ. Quant à vous, Monsieur Ehrlich, vous pouvez disposer. Mais, avant de quitter les lieux, signez votre déposition auprès du greffier qui siège derrière moi.

— J'exige un avocat ! tempête Lammert, en s'étranglant de colère.

— Messieurs les gendarmes, emmenez le prévenu ! ordonne le juge aux deux soldats en faction dans son bureau. Utilisez les poucettes si nécessaire !

Ignace Lammert est évacué sans ménagement et sans opposer de résistance. La simple idée de se savoir entravé par des poucettes le rend malade, et il préfère adopter une attitude digne et calme. On le conduit à pied à la gendarmerie qui n'est située qu'à quelques mètres du tribunal cantonal. La rue est déserte et le transfert peut se dérouler à l'abri du regard des curieux.

La chambre de sûreté se trouve au sous-sol. C'est la seule, d'ailleurs, et elle est rarement occupée. Une odeur de renfermé y règne et vous prend à la gorge dès qu'on y pénètre, malgré l'existence d'un orifice grillé qui donne sur la cour et qui apporte un peu de clarté et un souffle d'air. La lourde porte en chêne, avec une ouverture solidement protégée par des barreaux de fer, est fermée par deux verrous et un cadenas. Le détenu dispose d'un lit de camp pouilleux, d'un baquet pour la toilette, d'une cruche remplie d'eau, d'un seau pour ses besoins et d'une planche à pain qui lui sert de table. Quand Ignace franchit le seuil, il constate que les mouches, les cafards et autres vermines ont déjà pris possession des lieux. Un gendarme lui apporte un baluchon bourré d'effets personnels que sa femme a livré alors qu'il se trouvait encore chez le juge.

Lorsque la porte de la cellule se referme sur lui et que le bruit des serrures sonne l'heure de la solitude et de l'isolement, Ignace comprend enfin que quelque chose s'est passé. Il est désemparé et crie à l'injustice. Il s'assied sur le lit de camp et regarde d'un air hagard les murs gris, dégradés et couverts de moisissures verdâtres à certains endroits. Il chasse un cafard qui grimpe le long de son pantalon puis deux ou trois mouches qui le harcèlent sans cesse. L'odeur âcre qui se dégage de la couchette lui donne une envie de vomir. Il ne veut pas rester dans cette cellule une minute de plus et le fait savoir en tambourinant avec force sur l'épaisse porte en bois qui le sépare de la liberté. Mais, personne ne l'entend ou ne veut l'entendre. Il attendra jusqu'au soir pour voir un soldat lui apporter un morceau de pain blanc, une soupe tiède préparée avec quelques rares légumes et un pichet de vin rouge. Il en profite pour s'adresser à lui :

— Par pitié, dites au juge que je veux être libéré, car je n'ai rien fait ! Je veux aussi un avocat ! Dites-le-lui ! S'il vous plaît. On ne peut pas me laisser ainsi !

Le gendarme est sourd à son appel de détresse et d'un geste brusque, referme la porte et fait bruyamment tourner la clé dans le cadenas. Tout redevient silence.

Dimanche 27 juillet, dix heures du matin, Ignace Lammert comparaît une seconde fois devant le juge Meyer. Il n'a pas quitté les habits qu'il portait le jour de la première déposition. Dès qu'il entre dans le cabinet du juge, le vieux greffier Fellmer s'empresse d'ouvrir les fenêtres tellement l'odeur est insoutenable.

Cette fois-ci, il a dû accepter qu'on lui mette les poucettes, car il a menacé de s'évader lors du transfert entre la gendarmerie et le tribunal cantonal.

— Monsieur Lammert, vous devez vous laver et ôter vos vêtements qui puent ! C'est infect ! s'exclame le juge. Votre femme vous a pourtant apporté des habits propres.

— C'est normal que ça empeste ! La cellule est sordide ! Vous devriez venir voir ! riposte Ignace, même la pire des crapules ne mérite pas un tel traitement.

— Je vous ai à nouveau convoqué pour que vous puissiez vous exprimer sur les derniers témoignages que je viens de recevoir de la gendarmerie. Après notre entretien, le gendarme Francis Schutz, ici présent, vous conduira à l'abreuvoir, derrière les écuries où vous pourrez vous laver. On vous fournira un morceau de savon. Ensuite, vous mettrez des vêtements propres.

— Et l'avocat, quand pourrais-je le voir ?

— Quelques jours avant votre comparution devant la cour d'assises.

— Vous allez m'envoyer devant la cour d'assises ? Mais pourquoi ? Je n'ai rien fait, bon sang de bon sang !

— Beaucoup de charges sont en votre défaveur... Je vous conseille de choisir un bon avocat. Mais, revenons à l'objet de notre entretien. En préambule, je vous certifie que le témoignage de Louis Ehrlich a été confirmé par les deux autres ouvriers qui ont travaillé avec lui,

Messieurs Graff et Wimmert. Tous vous ont vu vers les cinq heures du soir, au Grundboden.

— C'est faux. Ils se trompent. Et puis, je suis sûr qu'ils se sont donné le mot !

— Admettons. Mais Madame Françoise Schott, que vous avez rencontrée, accompagnée de sa nièce, Catherine Biehler, le lendemain du crime, nous a appris qu'elle a été surprise par ce que vous leur avez dit, à savoir que la victime ne portait pas de sabots, mais des savates. Et vous avez aussi précisé que vous avez poussé une savate dans les buissons à l'aide de votre canne. Comment pouvez-vous expliquer cela, alors que, selon vos allégations, vous n'étiez pas sur les lieux du meurtre ?

— De ma vie, je n'ai jamais déclaré cela ! Je ne savais pas qu'elle portait des savates ! Je ne l'ai su que le 22 juillet, le jour où je les ai vues à la mairie.

— Monsieur Lammert, vous niez l'évidence ! Je crois qu'on va s'arrêter là. Je vais transmettre au procureur, une ordonnance de mise en accusation. Je vous transfère à la maison d'arrêt de Colmar, dans l'attente de votre comparution devant la Cour d'Assises.

— Je conteste et réfute tout. Tout est faux, archifaux. Je ne répondrai plus, ou alors, qu'en la présence d'un avocat.

— Gendarme Schutz, veuillez ramener l'accusé dans sa cellule, mais au préalable, allez avec lui à l'abreuvoir pour sa toilette, comme convenu.

Le soldat s'approche d'Ignace, lui passe les poucettes et se rend avec lui derrière les écuries de la maréchaussée, à quelques pas du tribunal cantonal.

Le 29 août 1856, le préfet du Haut-Rhin prend un arrêté, pour révoquer Lammert de ses fonctions de garde champêtre. En revanche, à la demande du maire, Joseph Homma est maintenu à son poste.

Le 31 août 1856 : La Chambre d'accusation de la Cour Impériale de Colmar renvoie l'affaire devant la Cour d'Assises.

Chapitre 11

Dans les rues d'Ensisheim, on ne parle plus que du meurtre de Catherine. Ignace Lammert a été transféré à la maison d'arrêt de Colmar. Sa femme, Marie-Anne, n'ose plus sortir. Elle reste cloîtrée chez elle et refuse tout contact avec l'extérieur. Seule sa voisine Rose, une nièce par alliance, se charge de lui faire les achats courants et de lui rendre compte des derniers ragots qui enveniment l'atmosphère. Marie-Anne est convaincue de l'innocence de son mari. Malheureusement, son impulsivité notoire le dessert. C'est son talon d'Achille, l'élément faible qui sera sans doute exploité par l'accusation et qui pèsera sûrement très lourdement dans la décision des jurés.

Le maire, Jean-Baptiste Dangel, est l'une des rares personnes, avec le curé Freyburger, qui peut s'entretenir avec elle. Il lui a suggéré l'assistance de Maître Koch, un célèbre avocat pénaliste de Colmar, très connu pour son efficacité dans des affaires épineuses et désespérées. Elle a quelques économies et peut donc lui verser une provision. Pour le reste, elle verra avec ses enfants. Mais, elle devra probablement négocier un étalement pour le paiement du solde des honoraires. Le maire la rassure, le bureau de bienfaisance de la commune pourra, le cas échéant, lui consentir une avance remboursable.

C'est amaigri et hébété, les yeux rougis à cause de la nuit précédente sans trouver le sommeil, qu'Ignace Lammert se présente le jeudi matin du 27 novembre 1856, devant la cour d'assises du Haut-

Rhin. Le Conseiller Gallimard préside l'audience, assisté de Messieurs Chauffour et Gautier, assesseurs.

La femme d'Ignace suit le procès, entourée de sa fille, Anne-Marie, et de son fils, Joseph. Ignace, encadré de deux gendarmes, s'assied dans le box des accusés et jette un regard furtif vers le public venu nombreux et qui occupe la totalité des places. Face à lui, 12 jurés, intimidés, prennent place à l'appel de leur nom, dans une travée latérale qui leur est réservée. Certains d'entre eux saluent d'un rapide geste de la main ou par un signe discret et bref, un ami ou une connaissance qu'ils ont repéré dans l'assistance. Fidèle Kistler s'est installé au premier rang à côté d'Antoine Fichter. Il évite de croiser le regard d'Ignace.

Après leur avoir fait prêter serment et s'être assuré du respect du droit de récusation, le président déclare le jury constitué.

Maître Koch, l'avocat de la défense, s'entretient avec Lammert. Il lui chuchote quelques mots à l'oreille, mais Ignace semble absent, il ne bronche pas. Manifestement, il a toujours du mal à comprendre ce qui lui arrive. Comment et pourquoi en est-il arrivé là, dans cette fâcheuse situation ? « C'est moi qu'on accuse ? Non, ce n'est pas possible, cela doit être une erreur de personne. Ça ne peut pas être moi. Mais qui est donc le prévenu ? Je dois certainement faire un sale cauchemar ». Il se ressaisit et regarde à nouveau furtivement vers le public dans l'espoir d'apercevoir sa femme et ses enfants. Mais il ne s'attarde pas, car le président Gallimard vient d'ouvrir la séance.

Le greffier donne lecture de l'acte d'accusation. Il rappelle les principaux faits qui amènent la cour à statuer sur le sort de l'accusé. L'alibi invoqué par Lammert est repoussé en se fondant sur les déclarations de plusieurs témoins qui affirment l'avoir rencontré entre cinq et six heures du soir sur le sentier qui longe la rivière, et qui passe près de l'endroit où a été trouvé le cadavre. Cela confirme la gravité des charges que font peser sur l'accusé des paroles compromettantes sorties de sa bouche et son attitude étrange et embarrassée alors que la justice se livrait à d'actives investigations pour découvrir l'auteur du crime. En présence des réponses contradictoires qu'il a données au cours des interrogatoires, la culpabilité de Lammert apparaît entourée d'une vive lumière ; elles contiennent une suite d'assertions démenties formellement, suivies d'assertions nouvelles renversées à leur tour par de nouveaux démentis.

Après lecture de l'acte d'accusation, les témoins défilent à la barre. En premier, le médecin qui a examiné le prévenu et après, celui qui a établi le rapport d'autopsie. Ensuite se présentent tour à tour les acteurs, qui ont participé à l'enquête, notamment le commissaire Scherrer, le juge Meyer, les brigadiers de la gendarmerie cantonale d'Ensisheim. Une bonne partie des quarante-cinq témoins est entendue à la barre.

Face à toutes ces interventions, entrecoupées de commentaires et de questions posées par la partie civile et l'avocat de la défense, Ignace reste de marbre.

La première journée du procès s'est achevée enfin à son plus grand soulagement.

Le vendredi matin 28 novembre 1856, l'audience reprend à neuf heures avec la suite des dépositions des témoins. Aucun d'eux n'a vu commettre le crime. Ignace ne répond que par oui ou par non aux questions qui lui sont posées. Il évite de parler, car, Alsacien, il s'exprime très mal en français. Il laisse son conseil intervenir chaque fois que cela est nécessaire.

— Les renseignements que viennent apporter les témoins n'ont rien de précis, souligne, avec satisfaction, Maître Koch, l'avocat de la défense, en conclusion de cette deuxième journée.

Samedi matin, 29 novembre 1856. Le président de l'audience, Gallimard, ouvre la séance devant un public toujours aussi nombreux, mais plus surexcité. C'est l'ultime journée. Ce soir, on connaîtra le verdict des jurés.

La parole est donnée à Maître Thieullen, substitut du Procureur général qui occupe le siège du ministère public.

Dans son réquisitoire, il reprend les éléments de l'enquête et détaille les charges qui pèsent sur le prévenu.

Il rappelle les mensonges d'Ignace et ses tentatives de subornation de témoins. Il note également le fait qu'une première agression physique sur la personne de Catherine Kistler avait déjà été perpétrée par l'accusé au printemps dernier. Il s'en est même vanté auprès de Madame Rumbach de la ferme Saint-Jean. Il met encore l'accent sur le caractère de lâcheté et de gratuité de l'acte commis sur une personne vulnérable, âgée et de sexe féminin.

— Et puis, relevez les incohérences dans les propos de Lammert ! rajoute le substitut. Il déclare le 19 juillet, au lendemain du crime, vers sept heures du matin, que la victime portait des blessures au visage et à la poitrine. Comment peut-il affirmer cela devant les Rumbach, alors qu'il prétend, dans une autre déposition, ne pas être passé au Grundboden et qu'il n'a eu connaissance de la mort de Catherine Kistler que le lendemain du meurtre ? S'il l'a décrite avec autant de précision, c'est qu'il a dû obligatoirement se trouver sur place au moment du crime ! En réponse, l'accusé soutient avoir été mis au courant très tôt le matin par Martin Meyer et son collègue Biehler. Or, ces deux témoins lui donnent à cet égard des démentis formels, et déclarent qu'ils n'ont pu révéler des particularités qu'ils ignoraient eux-mêmes à ce moment-là.

Ensuite, Messieurs les Jurés, je ne reviendrai pas sur les nombreuses dépositions concomitantes de Messieurs Homma, Graff, Ehrlich, Wimmert, Rumbach et de Mesdames Keller, Rueff, Schott, que vous avez longuement entendues ! Vous avez pu vous en rendre compte, par vous-même, et relever toutes les absurdités et tous les mensonges qu'a proférés le prévenu. Sa culpabilité ne laisse plus aucune place au doute.

Alors, Messieurs les Jurés, je vous en conjure, lorsque vous serez dans la chambre des délibérations, soyez objectifs et analysez scrupuleusement les faits du procès. Oubliez les paroles éloquentes que vous allez entendre tout à l'heure de la bouche de Maître Koch, l'avocat de la défense ! Jugez en votre âme et conscience. Ne vous laissez pas influencer par les rumeurs, quelles qu'elles soient. Relisez la belle formule de votre serment, et revenez ici avec le jugement que j'attends...

Dans cette horrible affaire, il ne peut être question d'indulgence.

Si vous vous prononcez pour une sentence clémente, je comprendrai. Ce sera une décision humaine, sans doute, parce que vous aurez pitié. Mais, dans cette hypothèse, ce sera aussi une sentence dangereuse dénotant une certaine faiblesse. Messieurs les jurés, je vous connais suffisamment pour savoir que vous ne rendrez jamais un pareil verdict.

Aussi, je réclame pour Ignace Lammert, à défaut de travaux forcés puisqu'il a plus de soixante ans, la peine d'emprisonnement à perpétuité sans circonstance atténuante !

Ignace Lammert, dans le box des accusés, demeure prostré comme s'il n'était pas concerné par ce qui se passe sous ses yeux.

Sa femme Marie-Anne est abasourdie, tétanisée. Perpétuité, pour une personne qui n'a rien fait ! Elle n'en croit pas ses oreilles. Elle a envie de se lever et de crier haut et fort qu'il s'agit d'une erreur. Mais non, elle reste assise en se cramponnant à la manche de la chemise de sa fille.

Elle cache son visage entre ses mains et verse une fontaine de larmes.

Fidèle Kistler suit avec une grande attention les débats et approuve les arguments du substitut Thieullen. Mais il est épuisé moralement et physiquement. La longueur des audiences et la tension qui règne dans le prétoire le fatiguent. Dans quelques heures, il en sera terminé avec cette affaire. Catherine sera enfin vengée.

Maître Koch, l'avocat de la défense, se lève et prend la parole.

— Messieurs les Jurés. Aujourd'hui, ultime journée d'un procès incompréhensible. Oui, messieurs ! Ignace Lammert, que vous avez en face de vous, ne devrait pas être ici, à cette place ! C'est la vindicte populaire qui l'a mis dans cette situation, dans ce box ! La rumeur, les on-dit, les ouï-dire, et j'en passe... Ce n'est pas avec ce ramassis d'inepties que vous pouvez juger un homme, un garde champêtre, un officier de la loi. Une personne d'une probité irréprochable qui a respecté la loi et qui la faisait respecter. Oui, Ignace Lammert a continuellement été exposé aux critiques en raison de sa fonction. Est-ce une raison pour en lui en vouloir ? Non, Messieurs les Jurés, il a accompli ses tâches avec le sens du devoir bien fait comme en atteste le témoignage de Monsieur le Maire d'Ensisheim, Jean-Baptiste Dangel. Vous avez face à vous, Messieurs les Jurés, un innocent. Oui, je dis bien : un innocent ! Et je vais vous le prouver ! Quarante-cinq témoins ont défilé devant vous, et aucun d'entre eux n'a été le spectateur du crime. Aucun ! Les renseignements qu'ils viennent apporter à la justice n'ont rien de précis, mais embarrassent le débat de détails inutiles, de conjectures, d'appréciations personnelles, sans y répandre la lumière. Ces nombreux témoins, dont les dépositions n'ont pas rempli deux jours, sont d'accord sur un seul point : que la victime, la femme Kistler, passait pour être en relations intimes avec le diable et, qu'elle profitait de ce commerce infernal pour faire métier de sorcière. Consultée par les uns, redoutée par les autres, elle exerçait, disent-ils, une influence incontestable sur eux tous, si bien que le chasseur, quittant sa maison pour se mettre en campagne, s'empressait, lorsqu'il la rencontrait sur sa route, de rebrousser chemin, persuadé que cette fâcheuse rencontre était pour le gibier, une assurance d'invulnérabilité.

L'avocat s'attache, dans sa plaidoirie où la force du raisonnement le dispute avec l'élégance de la diction, à démontrer avec force l'inanité des moyens de l'accusation qui viennent échouer contre les antécédents irréprochables de l'accusé.

— Je rappelle, poursuit-il, que la victime se livrait à des pratiques de sorcellerie. Elle était ainsi exposée sans cesse à la malveillance de tous et à la vengeance de certains habitants qui avaient proféré, contre elle, des menaces de mort, animosité que n'avait jamais témoignée mon client, Ignace Lammert ! Je m'autorise aussi à vous remémorer, à l'appui de cette inimitié traditionnelle à laquelle sont en butte les sorciers et sorcières d'Ensisheim, qu'il existait dans des temps assez rapprochés de nous, un tribunal des maléfices, Malefiz gericht, installé dans cette ville, et, devant lequel, étaient tenus de comparaître, pour y être jugés et condamnés, tous habitants soupçonnés de sorcellerie, magie blanche ou noire. L'existence de cette juridiction n'est pas une légende, elle appartient à l'histoire du pays, ainsi que cela résulte des documents recueillis par un historiographe d'Ensisheim. Messieurs les Jurés, en l'absence de toutes preuves matérielles qui permettent d'établir directement la culpabilité de l'accusé qui, d'ailleurs, a toujours protesté de son innocence, et, en présence des dépositions contradictoires des témoins, j'ai bon espoir que vous répondrez aux questions qui vous seront posées, par un verdict d'acquittement ! Car, je suis persuadé que c'est votre intime conviction, je n'en doute pas. Je vous en remercie !

Fidèle Kistler est choqué des propos outrageants que vient de tenir l'avocat de la défense à l'encontre de sa femme Catherine. Il serre les poings.

Le Président, Gallimard, se tourne vers Ignace Lammert :
— Accusé, levez-vous ! Avez-vous quelque chose à ajouter pour votre défense ?
— Je suis innocent ! Monsieur le président.
Le président donne ensuite lecture des questions qui seront posées tout à l'heure aux jurés dans la chambre des délibérations.

— L'audience est suspendue ! déclare-t-il.

Toute l'assistance se lève dans un immense tumulte et gagne la salle des pas perdus. Les jurés quittent le prétoire et accompagnent les membres de la cour par une porte dérobée. Ignace Lammert, encadré des deux gendarmes, est conduit dans une petite pièce où le rejoint Maître Koch.

La longue attente commence.

Dehors, le fourgon cellulaire patiente.

Marie-Anne est très affectée, même physiquement. Elle ne tient plus sur ses jambes, elle a maigri de façon inquiétante. Ces trois jours d'audience ont été très éprouvants pour elle. Elle préfère rester dans le prétoire, entourée de ses enfants. Son fils Joseph demeure optimiste quant à l'issue de ce procès. Il a apprécié la plaidoirie de Maître Koch et tente de rassurer sa mère comme il peut.

Dans la salle enfumée des pas perdus, où grouillent avocats, gendarmes, journalistes et le public, la tension est palpable à l'excès. Tout le monde croit détenir la vérité et connaître le résultat du vote des jurés. Les paris vont bon train. Les chroniqueurs commentent le réquisitoire de l'avocat de la partie civile et certains ne manquent pas de penser que la sanction demandée aurait mérité les travaux forcés. Mais les condamnés âgés de plus de soixante ans sont dispensés de ce supplément de peine, car ils ne pourraient pas le supporter physiquement.

Au bout d'une demi-heure, une cloche retentit dans la salle des pas perdus et un huissier annonce la reprise de l'audience dans dix minutes. Il invite le public à s'installer, en silence, dans le prétoire.

Tout le monde spécule sur l'issue qui va être réservée à Lammert. Les délibérations des jurés n'ont duré qu'une demi-heure. Est-ce bon signe pour l'accusé ? Ou, au contraire, le jury a-t-il été rapidement convaincu de sa culpabilité ? Mais, en cas de doute, ce doute devrait bénéficier au prévenu.

Les jurés s'installent sur leurs bancs en gardant une attitude renfrognée qui ne trahit aucun sentiment. Le public a beau scruter leurs visages, il ne constate aucun rictus qui pourrait être interprété pour une condamnation ou pour un acquittement.

— Mesdames, messieurs, la Cour !

Le public se lève à l'entrée du Président Gallimard et des assesseurs Chauffour et Gautier.

Il règne un silence de cathédrale. Le président fixe son binocle sur le nez et survole une feuille que lui a tendue le greffier Bollecker. D'un ton solennel, il annonce :

— À l'ensemble des questions posées à Messieurs les Jurés, il a été répondu par la négative. En conséquence, je prononce l'acquittement d'Ignace Lammert. !

Puis, en se tournant vers lui, il ajoute :

— Vous êtes libre.

À la lecture du verdict, les esprits s'échauffent. Des cris hostiles se mêlent à des exclamations de joie. Marie-Anne s'évanouit sous l'effet de l'émotion. On s'empresse autour d'elle pour la ranimer avec des sels.

Ce résultat ne paraît pas impressionner Ignace. L'impassibilité qui n'a cessé de régner sur son visage, pendant tout le cours de ces trois jours de longs débats, persiste lorsque le président ordonne sa mise en liberté.

Son avocat exulte et vient lui serrer la main d'une poigne vigoureuse. Ignace cherche du regard sa femme et ses enfants. Sur les conseils de Maître Koch, il reste dans le box en attendant que la salle se vide.

Enfin, quand les derniers quittent le prétoire, il se dirige vers Marie-Anne, encore sous le choc, et la prend dans ses bras. Il lui murmure :

— Tu vois, j'avais raison... Je suis innocent !

Épilogue

— Signez ici, Monsieur Fichter, lance Maître Halm, le notaire, lui tendant le document déjà paraphé par Fidèle Kistler. Tout est réglé. Vous verserez le montant de la rente tous les premiers du mois. Voilà, désormais vous êtes propriétaire de l'atelier et des deux habitations attenantes. Monsieur Kistler gardera l'usufruit de son propre logement jusqu'à la fin de ses jours. Tout est clair, il ne me reste plus qu'à vous féliciter !

— Longue existence à la poterie, s'exclame Fidèle en serrant chaleureusement la main d'Antoine.

Ça y est, Fidèle l'a faite, la seule entorse de sa vie à sa femme Catherine. Mais elle saura lui pardonner du haut du ciel ou des profondeurs de l'enfer... Dorénavant, il aspire à du repos. Il a vendu le cheval de Catherine. Il s'occupera des lapins. Il lui arrive, de temps à autre, d'honorer une invitation d'Antoine pour le déjeuner dominical.

C'est ainsi que continue, petit à petit, le fil de l'histoire à Ensisheim, après ces derniers mois tumultueux. Les rendez-vous aux lavoirs sont bien moins suivis. C'est vrai, il n'y a plus rien à commenter. Les plaies se cicatrisent doucement. Dans les bistrots, le vin et la bière coulent toujours à profusion. Par contre, les conversations adoptent un ton beaucoup plus consensuel. On évite d'épiloguer sur la décision prise par la justice. Même ceux qui souhaitaient les travaux forcés pour Ignace, renversent maintenant la vapeur et considèrent que le verdict est correct. Ils espèrent ainsi retrouver les relations amicales qu'ils avaient eues avec le garde champêtre avant le drame.

À son retour au foyer, Ignace Lammert n'a pas réintégré les fonctions de garde champêtre. C'était d'ailleurs son intention. Après toutes les humiliations supportées au fil de l'enquête, il ne se sent plus capable d'affronter les contrevenants et les braconniers qui sévissent dans les champs et les bois. Lassé, il n'a plus envie de faire appliquer les lois. Les regards des témoins à charge et surtout celui de Fidèle Kistler le mettent mal à l'aise. Aussi, a-t-il décidé de reprendre son métier d'avant, journalier. C'est Louis Biehler qui lui succède au grand dam de Joseph Homma qui espérait la place.

Ignace profite d'une nouvelle vie. Il ne tient pas rigueur à tous ceux qui l'ont sali. La honte n'est plus pour lui, mais pour eux. Malheureusement, il perd sa femme Marie-Anne l'année suivante, le 3 décembre 1857. Elle ne s'est jamais bien remise de cette effroyable affaire. Sa santé a périclité de jour en jour jusqu'au moment où son cœur a lâché à trois semaines de Noël.

Fidèle Kistler n'a pas eu le temps de jouir longtemps de sa retraite. Moins de deux ans après le verdict, le 21 mars 1858, il fermait définitivement les yeux pour aller rejoindre sa Catherine. Il n'a jamais accepté sa mort.

Finalement, c'est Antoine qui a réalisé la bonne affaire…

Mais qui a donc tué Catherine Kistler ?

Faut-il faire un lien avec la découverte, vingt ans plus tôt, du cadavre d'une jeune femme non loin de la ferme Saint-Georges ?

L'histoire n'a pas pu nous le dire et on ne le saura certainement jamais.

Autres brèves et faits divers d'Ensisheim

Exécution de Ferdinand-Jean Altmeyer sur la place de l'église

Lundi 20 décembre 1869, à neuf heures, sur la place de l'Église, un détenu de la maison centrale d'Ensisheim, Ferdinand-Jean Altmeyer a été guillotiné. Il avait vingt-cinq ans, et a été condamné à mort pour avoir assassiné, par jalousie pour une « *passion immonde* », un codétenu du nom de Joseph Wermuth, âgé de dix-huit ans.

Altmeyer, coiffeur de son état, avait tranché la gorge de Wermuth avec un rasoir au cours de la promenade dans la cour de la prison à Ensisheim.

Après le rejet du pourvoi en cassation et du recours en grâce formé par Altmeyer, la nouvelle s'est répandue, l'exécution aura bien lieu à Ensisheim, ville où a été commis l'homicide.

La veille de l'exécution, les sinistres apprêts ont commencé. La garnison d'Ensisheim a été renforcée par une compagnie du 74e de Ligne, stationnée à Neuf-Brisach. Dans l'après-midi, la fatale machine a fait son apparition et, après minuit, les ouvriers ont entrepris le montage.

Tôt le matin du 20 décembre, à quatre heures, Altmeyer a été extrait de sa cellule de la maison d'arrêt de Colmar où il a été incarcéré après le jugement de la Cour d'Assises. On lui sert une assiette de soupe avant son départ, mais l'ayant trouvée trop chaude, Altmeyer a préféré boire un verre de vin blanc. Il est monté ensuite en voiture entre deux gendarmes. Un aumônier, l'abbé Meyblum, l'a accompagné pour le transfert à Ensisheim. L'escorte était constituée de plusieurs brigades de gendarmerie appelées de Colmar, Neuf-Brisach et Mulhouse. Altmeyer, les mains enchaînées, est demeuré calme et silencieux. Un arrêt a été prévu dans une auberge à Réguisheim, où l'abbé lui a fait boire un second verre de vin blanc. Il a demandé à fumer un cigare. Puis, le convoi s'est remis en route. Sur tout le long du trajet, le vénérable prêtre lui adresse des exhortations et des encouragements. Altmeyer l'a écouté attentivement et a prié l'ecclésiastique de rester avec lui et de l'assister jusqu'au dernier moment. Des hommes, des femmes et des enfants de Réguisheim ont couru après la voiture. Les gendarmes ont tenté de les disperser, mais Altmeyer leur dit :

— *Laissez-les me contempler, ils prendront un exemple.*

Il ne cesse de reconnaître son crime et témoigne hautement son repentir. Il ne demande qu'à mourir. Il n'a qu'un regret, celui de ne pas pouvoir rendre la vie à sa victime. Il manifeste son désir d'être enterré à Ensisheim dans le cimetière de la maison centrale.

Quand le convoi arrive à Ensisheim, Altmeyer fume encore un bout du cigare qu'il avait reçu à l'auberge à Réguisheim. Six mille personnes environ, parmi lesquelles un grand nombre de femmes, sont massées sur la place de l'Église pour assister au funèbre spectacle. Ils sont venus de tous les points du département. La curiosité est d'autant plus forte que c'est la première exécution publique qui a lieu à Ensisheim.

L'escorte se rend à l'Hôtel de Ville. L'échafaud a été dressé devant la mairie. Les gendarmes ont conduit Altmeyer dans la salle de la mairie où l'on a procédé à la toilette fatale ; puis il mange avec appétit un morceau de viande, du pain, et a bu une chope d'un demi-litre de vin. Il demande à chaque instant s'il est bientôt neuf heures. Après le déjeuner, l'abbé a prié de nouveau avec lui et lui a fait embrasser le Christ plusieurs fois. Altmeyer a pleuré à chaudes larmes. De grosses gouttes ont perlé sur son front et le prêtre, lui-même, a essuyé la sueur du visage. Peu avant neuf heures, les bourreaux se sont présentés dans la salle. L'un d'eux tire de sa poche des ciseaux et coupe le collet de la chemise d'Altmeyer. Il lui couvre le dos d'une blouse bleue. Le digne aumônier lui prodigue les dernières consolations qu'il écoute avec résignation.

L'heure est venue. On attache les mains du condamné derrière le dos avec un ceinturon en cuir et on l'emmène à la guillotine. Dans la salle, au moment de partir, il s'affaisse sans connaissance au pied de l'abbé Meyblum. On le relève. Il tombe une seconde fois entre ses deux bourreaux. On le relève de nouveau. Puis, Altmeyer, s'armant de courage, descend l'escalier de l'Hôtel de Ville et, entre les deux exécuteurs de la justice, il marche vers l'échafaud. Les curieux pressent et bousculent tellement le condamné que les gendarmes sont forcés de les éloigner.

— *Laissez-les donc venir me contempler, ils prendront ainsi un exemple.*

Puis un peu plus loin, arrivant au pied de l'échafaud, il dit :

— *Mon Dieu ! Quand je songe qu'en 1860 j'ai assisté comme spectateur, à Strasbourg, à l'exécution de la femme Haumesser, et qu'aujourd'hui je dois subir le même sort !*

Il s'est mis à genoux, a prié et embrassé le Christ une dernière fois. Il est monté seul sur l'échafaud où les bourreaux l'ont attaché aussitôt sur la planche. Un instant après, la planche a basculé et la tête est tombée.

Beaucoup de femmes touchées de compassion ont versé des larmes.

Messieurs Louis-Félix Narcisse Caron, greffier à la Cour Impériale de Colmar et Isidore Tyrillot, huissier, assistent à l'exécution pour témoigner que la sentence a bien été appliquée et, ensuite, pour déclarer à la mairie le décès de Ferdinand-Jean Altmeyer.

À onze heures, une cérémonie religieuse a clos une des pages les plus sombres de l'histoire de la ville.

***

Rapport du 14 avril 1869 : découverte d'un corps dans l'Ill à la hauteur de la ferme Saint-Jean

« *Nous, Sallot Charles Auguste, Commissaire de Police des villes du canton d'Ensisheim, Officier de police auxiliaire de Monsieur le Procureur Impérial, certifions avoir le jour d'hier 13 avril courant, procédé à la levée d'un cadavre trouvé dans le lit de la rivière de l'Ill, près la ferme Saint-Jean, ban lieu d'Ensisheim et que vu sa décomposition, vu que sa tête se trouvait détachée du corps et absente, vu enfin qu'il se trouvait dépourvu de tout vêtement, excepté un lambeau de bas en coton, moitié blanc et moitié bleu, qui recouvrait la jambe gauche, il nous a été de toute impossibilité ni d'obtenir le moindre renseignement de nature à permettre de découvrir son identité ni même de recueillir son signalement. Néanmoins, monsieur le docteur Dangel de cette ville, qui nous a assistés dans cette opération, nous a déclaré qu'il présumait que les restes de ce cadavre pouvaient être ceux d'une personne de 15 à 18 ans, mais sans en pouvoir reconnaître le sexe.*

Fait à Ensisheim le quatorze avril mil huit cent soixante-neuf. »

***

La mort du Colonel

Ensisheim, 1908. Nicolas Herling est mort à l'hospice d'Ensisheim, à l'âge de soixante-treize ans. Il a vu le jour à Ensisheim le 5 février 1835 au foyer de Nicolas et de Rose Suzanne Werner. C'était un ancien sapeur du 1er régiment de Lignes à Guéret. Il est passé jadis comme le sapeur le plus barbu de l'armée française et a reçu, de son colonel, une gratification de 10 centimes par jour.

Après avoir vécu pendant dix-huit ans à Guéret, il a fait partie de l'armée du maréchal François Achille Bazaine qui a capitulé le 27 octobre 1870. Il a été fait prisonnier par les Allemands au siège de Metz. À son retour d'Allemagne, il est revenu à Ensisheim, sa ville natale. On l'a surnommé « le colonel ». Les villageois l'ont encore vu, quelque temps, arborer une barbe qui lui tombait jusqu'à la ceinture. Ce qui jadis avait été le plus bel ornement de son ancien régiment et la gloire des sapeurs de France n'a pas été apprécié par les Prussiens lors de l'annexion de l'Alsace à l'Allemagne en 1871. Aussi, dès que les délais, pour opter pour la nationalité française ou allemande, furent écoulés, il s'est fait couper la barbe. Depuis lors, il a vécu mélancoliquement à Ensisheim, à l'hospice communal. Il a encore étonné et enchanté les petits enfants avec les récits de ses succès militaires.

Sœur Marie de La Flagellation

Sœur Marie de la Flagellation est née le 14 juillet 1859 à Ensisheim au foyer d'Antoine Kromer, journalier, et de Barbe Maechlé. Elle était sœur hospitalière, supérieure de l'hospice d'Harbonnières (Somme). Elle fut citée à l'Ordre de l'Armée, le 3 octobre 1914 avec Croix de guerre avec palme. « *Elle a efficacement protégé et soigné les blessés français pendant l'occupation ennemie et, en s'exposant elle-même, a assuré leur liberté. A donné pendant ce temps et depuis, des preuves répétées d'un dévouement sans bornes.* » Journal officiel du 29 octobre 1915.

Sources

- Archives d'Alsace – Site de Colmar ;
- Petite gazette des tribunaux civils et correctionnels d'Alsace de M. de Neyremand, 1860 ;
- Généanet ;
- Gallica.

Imprimé en Allemagne
Achevé d'imprimer en novembre 2022
Dépôt légal : novembre 2022

Pour

Le Lys Bleu Éditions
40, rue du Louvre
75001 Paris